中公新書 1594

牟田口義郎著

物語 中東の歴史

オリエント五〇〇〇年の光芒

中央公論新社刊

目次

4　運河の未来図

ドラマは続く　日本の貢献　第二運河をつくろう

旧ソ連
黒海
カスピ海
中国
レバノン共和国
アンカラ
トルコ共和国
ニコシア
キプロス共和国
ベイルート
シリア・アラブ共和国
ダマスカス
イスラエル国
エルサレム
アンマン
テヘラン
バグダード
イラク共和国
イラン・イスラム共和国
カーブル
アフガニスタン共和国
パキスタン
カイロ
クウェート
ペルシア湾
アラビア湾
ホルムズ海峡
ヨルダン・ハーシム王国
クウェート国
カタル国
バハレーン国
ドーハ
アブー・ダビー
エジプト・アラブ共和国
メディナ
リヤド
サウジアラビア王国
マスカト
アラブ首長国連邦
紅海
メッカ
オマーン国
アラビア海
サヌアー
イエメン共和国
ハルツーム
エリトリア
アデン
スーダン共和国
アデン湾
ジブティ共和国
エチオピア
ソマリア
インド洋
ウガンダ
ケニア
0
2000km

大西洋
フランス
ルーマニア
イタリア
ブルガリア
ポルトガル
スペイン
ギリシア
地
アルジェ
ラバト
チュニス
中
海
チュニジア共和国
モロッコ王国
トリポリ
カナリア諸島
アルジェリア民主人民共和国
社会主義人民
リビア・アラブ国
（西サハラ）
モーリタニア
イスラム共和国
ヌアクシット
マリ
ニジェル
チャド
セネガル
ナイジェリア
中央アフリカ
カメルーン
ザイール
中東全図

序章　中東の風土

――われわれの認識は確かか

プロローグ　中東を知るためのQ&A

情報技術の革新によって地球がますます狭くなり、世は相互依存、相互理解の時代に入っているというのに、「中東は宗教が支配する地域」「だから常識が通じないところ」といってすましてしまってよいのか。われわれの常識なるものは、実は「無知」の裏返しではないのか。そこでまず、こんなQ&Aをやってみることにした。

Q　日本人はイスラームとかアラブとかいう言葉を聞くと「わからない」といって、すぐお手上げになってしまうようだが――

A　それは日本人の中東認識が遅れているからだよ。

Q　では、イスラームはいつごろ日本に紹介されたのかね。

A　江戸中期で紹介者は新井白石（一六五七～一七二五）。けっこう古いというかも知れないが、預言者ムハンマドがイスラームを広めてから一一〇〇年もたっている。白石は『西洋紀聞』(一七一三成立)のなかで、世界の宗教はキリシタン、マアゴメタン、ヘイデン(多神教徒)の三つ、と書いた。これが最初だね。

Q そのマアゴメタンというのがイスラームのこと?

A そう。ムハンマドMuhammadからの派生語で、白石の耳にそう聞こえたんだろうね。ヨーロッパ、たとえばイギリスではモハンメダン、ムハンマダンといい、英和辞典では「マホメット教徒、回教徒、イスラーム教徒」となっている。白石は別に漢文で『采覧異言《さいらんいげん》』という世界地理書を書き、そこではムハンマドを謨罕驀徳と表記しているね。

Q へええ……、そのムハンマドとマホメットとはどう違うのかね。

A マホメットMahometとはムハンマドのフランス語表記が一般化したんだそうな。いつだったか、カイロでエジプト人の新聞記者と話していたとき、マホメットといったら、相手はいやな顔をして、「それはヨーロッパなまりだから、どうかムハンマドまたはモハンメドと呼んでくれ」といっていたね。

Q じゃあ、マホメット教といわずにムハンマド教といえばいいのか、イスラームの代わりに?

A だめだめ。イスラーム教徒のことをムスリムというのだが、彼らはムハンマドを拝まない。キリスト教徒がイエスを拝むのはイエスが神の子だからで、これに対しムハンマドはイエスやモーセと同じく預言者だが、それ以上のものではない。マホメット教とは、その違いがわからぬヨーロッパ人の誤認によるものなんだ。そういう誤認が文明開化以来の日本に長く残ったね。

Q　なるほど。じゃ、回教徒とは？

A　これは中国人の誤認によるもの。中国の西のはずれに住む回族がムスリムだった。そこから回教、回教徒という呼び方が生まれ、日本では戦後まで使われた。日本のマスコミが回教という表現をイスラームに改めたのは、やっと第一次石油危機（一九七三）以後のことだ。

Q　白石の後継者はいなかったのか。

A　蘭学者のなかに大学者はいたが、中東の地理的紹介に終わり、イスラームについてはオランダ人の偏見の丸写し程度。日本人最初のムスリムとして、山岡光太郎が聖地メッカ、メディナに巡礼したのは明治四二年（一九〇九）にすぎない。日本人の中東意識が遅れているというのはこういうわけなんだ。日本にはムスリムが少ないしね。おまけに戦前の回教研究なるものは、いわゆる大東亜共栄圏政策の枠内にあったから、そういう研究機関は敗戦と同時に姿を消した。

Q　なるほど。わが国の「中東学」は戦後に一からのやり直し。遅れているのはそのためか。

A　そう。イラン・イラク戦争（一九八〇〜八八）が始まったころ、「アラブが内輪げんかばかりしているのは、イスラームの教義に欠陥があるせいか」と聞かれて、返答に窮したね。

Q　イラン人はインド・ヨーロッパ系、イラク人はアラブでセム系ぐらいは知っているがね。

Ａ　そう答えたらね、「だって国名が似てるじゃないか」という。語呂合わせで来られちゃかなわない。大げさだがそのとき、日本人の中東認識の遅れを痛感したものだよ。

1　生と死の世界

「歴史の父」の言葉

「中東」とはどういうところか。その概念をつかむには、飛行機に乗って、窓から大地を見下ろすにしくはない。

たとえばエジプトのカイロを飛び立ってルクソールへ。飛行機は何千メートルかの上空を、ナイル川に沿って南下する。見下ろせば、世界一級の大河もほんの細い帯で、そのほかはただいちめんの砂の海。エジプトは国土の九七パーセントが砂漠なのである。

エジプト人は悠久の昔から、ナイルという細い帯に沿う緑地にしがみついて生きてきた。砂漠のなかのオアシスの民や季節ごとに移動する遊牧民の数は人口の二パーセント程度にすぎない。エジプト人は昔も今も「ナイルの民」なのである。

エジプトを語るとき、必ず、といってよいほど引き合いに出されるのは、「歴史の父」といわれる紀元前五世紀の人ヘロドトスの「エジプトはナイルのたまもの」という言葉だろう。以来二千数百年の月日が流れたが、エジプトを表してその右に出る形容詞はない。げんに、エジプト政府が発行している観光客誘致のポスターにも、この文句が各国語で派手に刷り込まれている。

その意味を知るには、飛行機に乗らずとも高いところへのぼればよい。カイロとその周辺にはピラミッドに勝るものがないから、若干あごを出しながらも稜線を約二〇〇メートル、いちばん高いクフ王のピラミッドにのぼる。頂上から東の方を見わたせば、人口一〇〇〇万以上にふくれ上がったカイロが横たわり、その左手はアレクサンドリアからポートサイドへ広がるエジプトの心臓部、デルタへとつながる。カイロはデルタのかなめなのだ。雨は降らないから、ナイルによってうるおされる一大オアシス。それは「生」の世界である。

しかし、カイロ市街の右手のうしろには、熱気のうずのなかに、早くも茶色い砂漠が姿をのぞかせている。紅海まで続くアラビア砂漠だ。それは紅海を越えてアラビア半島へ、さらにペルシア湾を越えてイランへ、中央アジアへ——と広がっていく「死」の世界である。この「死」の世

ナイルを渡るフェリーからルクソール神殿を望む

ギーザの第一ピラミッドの頂上からカイロ方面（右上）を望む　現在は登頂禁止

界をもっと味わうには、回れ右して西の方を見ればよい。何たる空間！　右手前の第二、第三ピラミッド以外、さえぎるものは何もないリビア砂漠だ。茶色い地平のかなたはサハラ砂漠に続いてえんえん四五〇〇キロメートル。「死」の世界は大西洋の波にぶつかって初めて消える。

この「生」と「死」の世界の境界はすぐ目の下にある。縦横に引かれた水路がうるおす限りの土地が緑。それがピラミッドやスフィンクスの立つ砂岩の大地にかかると、水はたちまち切れるので、茶色がかった砂漠となる。中間地帯はない。それは「生」か「死」か、はっきりと二つに分かれてしまうきびしい世界である。

古代エジプト人はこの二元的世界を大地の色で分けた。すなわち、自分たちの居住空間は kemet《ケメト》。「黒い土の国」という意味だ。そして砂漠は desheret《デシェレト》。「赤い土の国」で、これがラテン語に入って desertum《デセルトゥム》となり、英語の desert《デザート》を生むのである。

乾燥のたまもの

砂漠の影響で、中東の空気は乾いている。中東は乾燥文化に支配された世界である。「乾燥」という烙印《らくいん》によって、中東人の常識は、ヨーロッパ人やわれわれ日本人とは根本的に異なる。乾燥地帯にあっては山はすべて禿げ山だ。そのふもとの農民に向かって、「日本の山は緑に覆われている」といっても、彼らはその意味を理解することができないだろう。夏には摂氏四〇度前後の熱気がうず巻く世界。それは「わび」とか「さび」とかいう概念から完全に絶縁された世界である。

中東人は遠い祖先の栄光を忘れ去ってはいたが、祖先が残した遺産の数々は奇跡的に、われわれ現代人の目の前にある。これら文明の遺産を歳月による破壊から救ったのは、ほかならぬこの乾燥だった。エジプトへ行けばすぐわかるように、ピラミッドも、大神殿も、神々やファラオ(王)の巨大な立像も、王家の谷深く秘められた財宝も、おびただしいパピルス文書も、またミイラも、この乾燥のため傷まなかった。乾燥が、エジプト文明の実態を現代に伝えたのである。

メソポタミア南部。人類初の都市文明を築いたというシュメール人が残したジッグラト(重層基壇の聖塔)。バグダードに近く、ユーフラテス川に面するバビロン。シリア砂漠の隊商都市パ

こんなところから宗教は生まれない　「虚無」を意味するルブ・アル・ハーリー砂漠（サウジアラビア）

ルミラ。レバノンのバールベックの大神殿。ヨルダンの岩窟都市ペトラ。こうしたイスラーム以前の文明の記念すべき建造物は、乾燥ゆえに今日、われわれの前にその偉容を示している。

商人の町メッカ

イスラームはこのような乾燥地帯の一角、アラビア半島のメッカに生まれた。そこで再び飛行機に乗り、アラビア半島の上空を飛んでみよう。紅海沿岸のジェッダからサウジアラビアの首都リヤド（「緑の園」という意味）まで約一〇〇〇キロメートル。しかし、眼下に広がるのはチョコレート色の岩の平原で、わが国の学者は岩《いわ》砂漠と呼ぶ（エジプトやサハラの砂漠は砂《すな》砂漠）。そのなかに点々とオアシス、すなわち集落があり、それらをハイウェーとおぼしき線がつないでいる。人口希薄。広さはわが国の六倍近くもあるのに、人口は約一五パーセントにすぎないという国情が実感できる。

そこで思い浮かぶのが「イスラームは砂漠の宗教」という言葉だ。これは一九世紀後半におけるヨーロッパの有名な宗教学者の発言で、以来イスラームのキャッチフレーズにもなってしまい、わが国でも明治以来、大いに幅を利かしていたものだ。

この提言が真赤なウソであることは、機上から見下ろした光景が証明する。人間がほとんど住まぬ砂漠に、高度な文化である宗教の生まれる余地はない。イスラームは紅海沿岸最大の商業都市メッカを原点とする。したがってイスラームは、エルサレムで生まれたキリスト教と同じく、まぎれもない都市宗教なのである。

メッカは北のシリア地方と半島南部のイエメン地方とを結ぶ貿易路の中継地に当たった。シバ（イエメン地方）の女王が数百頭のラクダに貢ぎ物を積み、エルサレムのソロモン王に会いに行った故事はよく知られている（「第一話」参照）。メッカはまた海路でエジプト、陸路でもうひとつの大河の国、メソポタミアと結ばれていた。これらの道はイスラーム以後、主要な巡礼街道となる。メッカはさらにバハレーン周辺のペルシア湾岸ともつながっていた。インドの産物はこの道を利用してメッカに入ってくる。つまり、メッカは紅海沿岸（イエメンやヒジャーズ地方）のみならず、アラビア半島第一の国際都市であったのだ。

2　アラブとイスラーム

ムハンマドは国際人

イスラームの教えを開いた預言者ムハンマド(五七〇ころ〜六三二)はこういう都市メッカで生まれ育った。もう少し詳しくいえば、クライシュ族という支配階級に属した相当規模の貿易商の総支配人であって、四〇歳のころまでは商業に専念していた。ここに、預言者としての彼の特徴がある。

つまり、イスラームに先行する一神教の預言者は、モーセ(ユダヤ教)にしろイエス(キリスト教)にしろ、職業がわかっていないということだ。福音書を開いても、イエスの経歴は、説教を始めるころまでは、幼児時代を除けば白紙状態で、一生を通じ何で食べていたかについては一行も書かれていない。彼はマリアの夫ヨセフから大工仕事を学んだことがあったのだろうか?

これに対し、ムハンマドは、聖徳太子とまったくの同時代人で、イエスより六〇〇年も後の人物だけに経歴もはっきりしている。預言者以前のムハンマドは商人であった――。イスラーム世界の特徴たる流通産業を代表するバザール商人たちは、このことに大きな誇りを抱いている。

彼は若いころ隊商とともに中東各地を訪れ、ユダヤ教やキリスト教に接した。いうならば彼は当時の中東における国際人の一人であった。彼の飽くなき知的好奇心は、次の言葉となって表れている。

「知識を求めよ、中国にまで」。

また、こうも述べている。

「ムスリム（イスラーム教徒）は揺りかごから墓場まで知識を求めよ」。

このような言葉は断じて砂漠の民の発想からは生まれない。イスラームは商人だったムハンマドが神の啓示を受けて創始した宗教だから、聖典であるコーラン（クルアーン）には商業的発想がふんだんに見られ、商業用語が多用されていることは、学者の指摘するところである。こういうわけでイスラームには商業都市の倫理、価値観、あるいは規範がさまざまに形を変えて登場している。

だからといってイスラームは、砂漠の遊牧民（ベドウィン）と無縁ではない。闘争心にあふれる彼らを包容するために、コーランには、彼らの部族社会がもっている伝統的価値観や規範も多分に盛り込まれている。したがって、イスラームは都会の宗教であることは間違いないが、砂漠性をすべて否定してしまうと、イスラームの全体像が浮かび上がってこないことになる。

これに対しキリスト教は同じ中東に生まれながら、伝道の拠点をローマに移し、ヨーロッパに広まっていったから砂漠性に欠ける。イスラームとは風土的に大いにちがうところである。

アラブの台頭

「中東」とは二〇世紀はじめに生まれた国際政治用語で、そこはイスラーム世界だから、中東の歴史を考える場合、われわれはそのイスラームを創始したアラブ人ムハンマドの時代以降に力点を置いてしまいがちだ。事実、ムハンマドの登場によって、東洋と西洋にはさまれたこの地域の歴史は、まったく新しい時代を迎えたからである。

宗教家であると同時に、彼は、一大政治家として、それまでアラビアに並立していた部族社会に「ウンマ（共同体）」という強烈な連帯意識を植えつけ、武人としてみずから軍を率いて戦い、中央アジアからスペインに至るアラブ世界帝国誕生への基礎を築いた。セム系の言語を話す人々のなかでいちばん後発だったアラブを、この種族のチャンピオンに仕立てる種をまいたのは彼であった。

古代の西アジアはセム系の言語を話す人々の活躍の舞台だ。紀元前三〇〇〇年紀、アッカド人は先住のシュメール人の都市国家を統一、文字や金属を使用する。前二〇〇〇年紀、古バビロニアの王ハンムラビ（ハンムラピとも。前者は「おじと呼ばれる神は偉大である」の意。後者は「おじと呼ばれる神は治癒者である」の意）はメソポタミアを統一して「ハンムラビ法典」を制定する。このころフェニキア人がバビロニア人に交代。前一〇〇〇年紀前半はパレスティナにヘブライ人

（ユダヤ人）が統一王国をつくり、メソポタミアの新バビロニア（カルデア）王国が西アジアを統一した——という具合である。

しかし前六世紀以後はインド・ヨーロッパ系のペルシア人が覇を唱え、これに対抗してギリシア・ローマ人が進出し、この争いが一〇〇〇年ほど続く。そして東西両大国が斜陽化したとき、両勢力の中間地帯に突如として噴出し、セム系言語の担い手のチャンピオンとして両勢力を粉砕したのが、それまで歴史に登場したことのないアラブだった。

ペルシア人、東ローマ（ビザンツ）人、エジプト人は、アラブよりはるか以前の文明の保持者である。その後継者たちを短時日のあいだに打ち破り、さらに版図を広げて大帝国を建設したアラブは、しかし、決して蛮族ではない。彼らはイスラームという、世界で最後に生まれた一神教の信徒だった。

アラブは自分たちの本格的な歴史はムハンマド、およびイスラームの時代から始まると考え、それ以前を「ジャーヒリーヤ」すなわち「無明《むみよう》の時代」とする。その分類に従えば、彼らの歴史はムハンマドの死後、約三〇年の正統カリフの時代（コーランの編集が行われた）からダマスカスを都としたウマイヤ朝カリフの時代（アラブ帝国）に移る。そして、アラブが近代との関連で、世界史にもっとも深い足跡を残したのが、次のアッバース朝の時代（イスラーム帝国）だった。

海の商人

以前は何の特徴もなかったバグダードを帝国の首都に定め、唐の長安と並ぶ世界一級の都市に仕上げたのはアッバース朝第二代カリフ、アル・マンスール（在位七五四〜七七五）で、定めた理由をこう語ったといわれる。くだいていえば次の通りだ。

「ここは軍営としてすぐれているうえ、ティグリス川に面しているから、遠くは中国に至る各地に通じているし、その海からのあらゆる産物と、メソポタミア、アルメニア、およびその周辺で産する食料の入手が可能だ。さらにユーフラテス川は、シリアおよびその近辺が提供するすべてのものを運んでくれる」。

商人ムハンマドの一族として、物資の流通に着目した点はさすがである。

このころ、帝国の東の辺境は、中央アジアで唐の勢力圏と接していたから、シルクロードを通じて隊商貿易は大いに栄えたことだろう。やがてバグダードには中国の製紙法が伝わり、学者たちに大きな知的刺激を与える。一方中国では、この「黒衣大食」（アッバース朝のこと）の都は円形だったから、「円城」と史書にしるした。ちなみに、ウマイヤ朝は「白衣大食」である。

ただし私は、このカリフが中国を、海のかなたにとらえている点に注目する。地中海のあるじだったフェニキア人を引き合いに出すまでもなく、西アジアの人々は陸の商人であるばかりでなく、海の商人という性格をもっていた。メソポタミアの住民たちは古代から、ペルシア湾とインド洋を通じ、もうひとつの大河文明圏であるインダス地方と貿易していた。彼らは、アラブの時代に入って活躍する「船乗りシンドバード」の先祖だった。シンドバードたちはやがてインドネシアまでイスラームを広める。考えてみれば、ラクダが運ぶ荷物の量は船には遠く及ばない。バグダードの市場にはインド、マラヤ、中国のほか、東アフリカからの産物もあふれていた。海の商人たちは、ギリシア人よりずっと前から季節風の存在を知っていたのだ。ちなみに、季節風の英語モンスーン monsoon はアラビア語で季節を示すマウシム mawsim から来ている。

アル・マンスールの時代、インドから大数学者がバグダードにやって来て、一冊の数学書を彼に献じ、彼はそれを翻訳させた。こうして今日の西洋数字の基であるインド数字がアラブ世界に入ったのであるが、私はこの学者が海の商人に身を託し、ペルシア湾経由でティグリス川をさかのぼり、バグダードに着いたと空想して楽しんでいる。クウェートからオマーンにかけての湾岸諸国の首長一族は、こうした海の商人たちの子孫である。

3　バグダードとヨーロッパ

帝国の変容

ウマイヤ朝からアッバース朝へ。帝国の性格はアラブ的からイスラーム的へ変わる。前者はアラブ貴族が支配する世界であり、被征服者である諸民族がイスラームに帰依《きえ》しても、依然として差別された。そこで生まれた幾多の不満分子を結集して革命を行い、バグダードに新天地を開いたのがムハンマドの叔父を始祖とするアッバース朝だった。

したがって、新王朝のカリフ（ムハンマドの後継者という意味）たちは、「ムスリムは神の前では平等である」というムハンマドの言葉を帝国統治の原点に据える。アラブの特権は廃止された。こうして新王朝は、以前のようなアラブの非アラブ（アジャム）支配ではなく、ムスリムの非ムスリム支配という政治体制をつくり上げる。すなわちイスラーム帝国の出現だ。ここにおいて初めてイスラームは、普遍宗教への道を歩み出す。

帝国の首都がダマスカスからバグダードへ移ったことは、帝国の中心がギリシア、地中海沿岸から、よりオリエント的な内陸へ移動したことを示す。こうして新帝国におけるアジャムの筆頭はペルシア人となる。彼らペルシア人は伝統的にアラブよりはるかに高度な都市文化をもっていた。アラブはこの文化に眩惑《げんわく》され、その結果、帝国のペルシア化が進む。バグダードを世界の一大知的センターに仕上げたのは第七代カリフのアル・マアムーン（在位八一三〜八三三）であったが、彼の母もまた宰相もペルシア人であった。

帝国の首都にはキリスト教徒の学者も多く住んでいた。彼らは東方教会に属し、ビザンツ帝国から異端として迫害され、ササン朝ペルシアで一時期を過ごした後、バグダードに迎えられたのである。彼らの主体はギリシア語を話すシリア人で、古典古代のギリシア文化の担い手だった。同時にヘレニズムも究めている。

アッバース朝の統治理念はイスラーム正統派（スンナ派、スンニー）の擁護と拡大にあった。この体制に奉仕する者は、種族・宗派の別なく、その能力に応じて報いられた。バグダードは諸民族・諸文化のるつぼとなり、それらの融合現象が起こり、やがて独自のイスラーム文明を創造していく。ヨーロッパ人が俗に「サラセン文明」と呼ぶものがこれである。

知的栄華

『千一夜物語』は、繁栄するこの世界都市で、アラブが世俗的な栄華を極限まで極めようとした営みの跡と見ることができようが、同時にまた、彼らは知的世界の征服にも乗り出している。ムハンマドは語る。

「もっとも祝福された者は官能の喜びを超越した者である」「学問の教えは祈りの価値に等しい」。

これを理解することができる「選ばれた少数」は、快楽のかなたには瞑想《めいそう》があり、最高の陶酔とは認識であると推論した。そういう彼らをもっとも引きつけたのはギリシア精神であり、その筆頭をなすものがアリストテレスの論理学であった。

九世紀におけるバグダードの知的活動は、公用語がアラビア語になったからギリシア学の翻訳に尽きる。『千一夜物語』に登場するカリフとして有名なハールーン・アル・ラシード（アル・マアムーンの父）はビザンツ帝国方面に遠征するたびに、ギリシアの古典を入手してバグダードに持ち帰った。アル・マアムーンも同様で、学者たちがそれらを翻訳する。ギリシア精神のバグダードへの移転だ。

一見、ふしぎな文化移転だが、ビザンツ帝国の主体はギリシア人であるのに、一神教（キリスト教）を信ずる彼らは、多神教時代だった先祖の知的遺産には無関心だった。いや、無関心どころか、知的遺産の後継者であることも放棄していた。

こうしてバグダードがイスラーム帝国の首都になってから一〇〇年足らずのあいだに、アリストテレスの哲学書、新プラトン派の著作、ヒポクラテスやガレノスの医学書、およびペルシアやインドの科学書がアラビア語で読めるようになっていく。つまり、すでに古典になっている『アラブの歴史』の著者、アラブ系アメリカ人のフィリップ・K・ヒッティが指摘しているように、「わずか数十年のうちに、アラブの学者たちは、ギリシア人が数世紀にかけて発展させたものを同化してしまった」。

彼ら文人たちの業績はまず翻訳から始まったのだが、文化の移転における翻訳の基礎的価値を見抜いていたと思われるアル・マアムーンは、アリストテレスの翻訳に際しては、原稿の重さと同じダイヤモンドを翻訳者に与えた。まったく気前のよいスポンサーだ。

こうして彼らはギリシアとヘレニズム時代の主な著作をヨーロッパ人よりはるか以前から知っていた。自然科学の面でいえば、医学、化学（錬金術）、天文学、数学、および物理学がこれほど究められたところはほかにない。このころ、ヨーロッパのキリスト教世界はまだ暗黒時代だった。

彼らが翻訳者、あるいはギリシア精神の単なる注釈者として終わらなかったのは、方法論をいちはやく身につけて、学問は実証的である場合にのみ価値があると理解したからだ。理論と実験的証明という科学の基礎は、このような文明の担い手たちによって確立した。

バグダードに輩出した天才たちの身元を洗うと、そのほとんどがアジャムであるのに驚かされる。イスラームのもつ包容性のためだろう。

スペインの役割

地中海の地図を見ると、トルコから右回りに西アジア、北アフリカを経てモロッコにいたる広大な地域がイスラーム世界である。このほかスペインは八世紀以来一五世紀までイスラーム世界の一部であったし、オスマン帝国の最盛期はバルカン半島全域がその支配下にあった。

ベルギーの史家、アンリ・ピレンヌが『ヨーロッパの誕生』のなかで説くところによれば、イスラームはローマが築き上げた古代の地中海的統一を一挙に破壊した。すなわち古代の伝統の終末と中世の開幕であり、やがてゲルマン諸族がラインとセーヌの流域に定着したことが、ヨーロッパ形成の原点となる。つまり、ひとつにはイスラームの進出、次にはフランス、イタリア、スペインのゲルマン化という二つの要素によって、地中海文明は、それまで維持した一つの純粋な現実に終止符を打った。以後の地中海はイスラームとキリスト教世界との対立の舞台になる。二世紀に及ぶ十字軍戦争はその典型的な例であった。

このあいだに、エジプトを含む北アフリカ地方ではアラブ化現象が起こる。住民はがんらいセム系言語の担い手ではなかったのに、支配者の言語であるアラビア語で読み、書き、話すようになった。現在エジプトがアラブ世界の大国といわれるのはこのようなわけなのである。

この地中海世界を文明史的にながめてみよう。そこには対立と緊張があったが、それは恒久的ではなく、文明は、水が低きにつくように、南から北へ流れ続けた。一〇世紀のコルドバ（スペイン）は、イスラーム文明の一頂点として、バグダードと覇を競った。そこには世界最高の文明が開花していた。一一世紀になって、ようやく目ざめた西ヨーロッパの知識人たちはスペインに留学して、とくにアリストテレスと自然科学に魅惑され、諸文献をアラビア語からラテン語に翻訳した。彼らのこの活動が西ヨーロッパにおける一二世紀ルネサンスを用意する。

一例をあげれば、アル・フワーリズミー（七八〇ころ～八五〇ころ）の『代数学』とイブン・スィーナー（九八〇～一〇三八、ラテン名アヴィセンナ）の『医学典範』は一二世紀のトレドで翻訳されて、以後四〇〇年以上にわたり、西欧の大学で教科書として使われた。また、スペインのイブン・ルシュド（一一二六〜九八、ラテン名アヴェロエス＝後述）は西欧でも「アラブ哲学の頂点」とたたえられ、一五世紀ルネサンスの思想に大きく寄与した。

憎悪と悪罵のあとで

イスラームはこのように西欧文明の成立の面で絶大な貢献を行ったが、宗教の面では徹底した拒絶反応をうけ、預言者ムハンマドは西欧人の憎悪と悪罵の対象になる。その先頭に立つのは、『神曲』の詩人ダンテ（一二六五〜一三二一）で、地獄に落ちたムハンマドは「あごから屁をするところまでざっくり裂けた亡者」として登場、さらに「のみこんだものから糞をつくる汚れた袋もむき出しに」というように、醜悪無比に描写される。アラビア語訳ではこのくだりは削除されているそうだ。このような悪意の原点は、「ムハンマドは神の使徒」という彼の預言者性の否定にあり、それはイスラームの否定そのものに直結した。

ヨーロッパで宗教としてのイスラームおよびムハンマドの再認識の動きが生まれるのは、フランスで百科全書派が出る啓蒙の世紀で、その代表者であるヴォルテール（一六九四〜一七七八）が最初の一人だろう。「征服者、立法者、王そして教皇として、ムハンマドはこの世で人間が為し得る最大の役割を演じた」と彼は書く。

地中海人ナポレオンもその一人で、イスラーム世界の一部、エジプトを征服したことのある彼は、後半セントヘレナで次のように述べる。「ムハンマドがすぐれているのは、キリスト教が定着するのに三〇〇年かかったのに比べ、一〇年そこそこでこの世の半分を征服したことだ。キリストの教えはオリエントの人びとには緻密すぎたから、もっと政治的な意見が必要だった。彼らの目にはイエスよりもムハンマドの方がすぐれている。イエスの存在そのものを疑う人もいるのに、ムハンマドは行動しているのである」。

ロマン派の大詩人で政治家だったラマルティーヌ（一七九〇〜一八六九）はより的確に分析した。「哲学者、雄弁家、立法者、戦士、思想の征服者、偶像なき信仰という合理的教義の復興者、地上の帝国二〇と精神の帝国一つの創設者、これがすなわちムハンマドである。人間の偉大さをはかるどんな物差しを使っても、彼に勝る偉人はいるだろうか」。また宗教学者ルナン（一八二三〜九二）はコーランのみごとな韻文性を次のように激賞している。「コーランはある意味では、宗教革命であると同じく、文学革命でもあった」。

イギリスではカーライル（一七九五〜一八八一）が『英雄崇拝論』のなかで、ムハンマドを「預言者としての英雄」というタイトルで扱う。これは一切の偏見を排除したうえで、ムハンマドの生涯とイスラームを紹介したエッセーで、彼を誠実な男、コーランを誠実の書であると説く。勇気あるムハンマド擁護論だ。預言者の夫婦愛を語るくだりは感動的でさえある。

第一話　乳香と没薬

——古代を知るためのキーワード

プロローグ　東方の三博士

イエス誕生の夜、ベツレヘムまで導いてきた星のもと、東方から三人の博士が貢ぎ物を携えてやって来た。東方、といっても、そこは中国やインドではなく、ペルシア、つまり現在の中東の一地域からであった。彼らはマリアに抱かれた幼な子を見るやひれ伏して拝み、宝の箱を開けて、黄金、乳香《にゅうこう》、没薬《もつやく》を献《ささ》げた。

この話は、キリスト教圏以外の世界でも、よく知られている。しかし、この三種類の貢ぎ物はいったい何を意味したのか。黄金は別として、残る二つはわれわれに耳慣れないものだ。とはいえ、これはキリスト教の原点に当たるイエスの誕生説話だから、その核となる三つの品のもつ意味と価値を、最初に説明しておく必要がある。

まず、黄金は「現世の王」を指す。これはよくわかる。そして次の二つは、ともにカンラン科の植物からとった香料だが、乳香は「神」を、没薬は「救世主」を象徴しているそうだ。

なぜそうなるのか。どのように使われたのか。三博士より五〇〇年前のペルシア王ダレイオス一世（在位前五二二～前四八六）は「歴史の父」ヘロドトスが伝えるところによれば、毎年アラビア（南部）から一〇〇〇タレント（約二五トン）の乳香を納めさせていたそうだ。彼はまた、「アラビアからは、えもいえぬ香りが立ちのぼっている」ともいう。

こうしてみれば、この二種類の香料は、中東の古代文化の実態を知るための重要なキーワードになるだろう。

1　香料の身元調べ

二人の女王を結ぶ

イエスの誕生年より二十数年前に死んだクレオパトラを除けば、中東の古代史に登場する著名な女性は、紀元前一五世紀のエジプトのハトシェプスト女王（在位前一五〇一～前一四八〇）と、それより五世紀後の「シバ（南アラビア）の女王」の二人だろう。そして二人の事績には、乳香という共通項が存在する。片や南方のプントの国へ乳香を求め、他はソロモン王に香料を贈る者として。

この対比が面白い。

私は三〇年余りの新聞記者生活のなかで、中東特派員としてカイロに住み、その後も折を見て各地を訪れているので、ハトシェプスト女王の南海貿易を記録した彩色壁画も何度か鑑賞し、また、記者生活の上がりのころは、南アラビアの「乳香樹《にゅうこうじゅ》の谷間」を歩いてその木に触れ、高さ三メートルぐらいの幹を、両手で揺さぶってもみた。

ところで、私はこの一文をしるすに当たり、愛用している大百科辞典に乳香と没薬についての記述が一行もないのに驚き、わが国の香料学の権威である故山田憲太郎氏の著書、とくに『南海香薬譜』（法政大学出版局、一九八二）に多くを頼った。

まず産地。乳香は南アラビアのドファール地方（イエメンに接するオマーン西南部）と対岸アフリカのソマリア東部で、没薬はイエメン東部とソマリア西部。これらの地域が古代エジプト人のいう「神の国」「乳香の国」すなわちプントで、このうちイエメン部分は、ローマ人が呼んだ「幸福なアラビア」なのである。シバの女王は「幸福なアラビア」のあるじだった。

ここで本論に入る前に、私の見聞録をもう少し述べておこう。

ドファール地方の谷間で乳香の採取方法を教えてくれたのは、オマーン政府の情報係A君で、小刀で幹を傷つけるやりかたは、ゴムの場合と似ている。こうすると、三、四年の若木の場合、傷口から微妙な匂いを放って汁がしみ出し、白い真珠状の玉となり、色はもっと半透明のうす黄色に変わる。そしてさらに三週間ほど空気にさらされ、固まってきたところで切れ目をもっと深くする。

こうして三カ月ほど放っておくと、樹脂は求められた密度になる。収穫期は五月から九月の最初の降雨までのころで、所定の集積所に集められたのち出荷される。乳香樹は水をほとんど必要としないため、私が歩いた谷間の北側へひと山越えた高原でとれるのが「銀乳香」といって最良質である。

『博物誌』の著者プリニウス（紀元七九没）によれば、ローマ時代にもっとも珍重された乳香は、二個の塊がうまい具合につながって、女性の乳房の形をしたものであったという。そこには、高度な文化を生んだ社会における遊びの精神が見受けられると思うのだが、どうだろう。

しかし、遊びには金がかかる。そこで、クレオパトラのエジプトを征服して意気あがるローマのアウグストゥス帝は、「幸福なアラビア」に遠征軍を送った。前一世紀末のころで、目的は香料貿易の独占であった。

ところが、敵襲を恐れて「乳香の道」を利用せずに間道を選んだため、さすがの常勝ローマ軍も、土地不案内ときびしい自然条件のため、目的地に迫りながらも回れ右して、空しく引き返さざるを得なかったという。

何に使われたか

乳香は英語ではフランキンセンス Frankincense といい、古フランス語の Franc encens すなわち「純粋な香料」を語源とする。没薬その他の香料の王者というところか。アフリカおよび西アジア産のカンラン科ニュウコウ属 *Boswellia* の木のことで、とくにニュウコウジュ *Boswellia carterii* からとれる芳香ゴム樹脂を指し、オリバナム Olibanum ともいう。これはミルクまたはミルク色を指すセム語がギリシア語に転化した形が語源で、セム語に属するアラビア語では、ミルクはラバン Laban で、乳香はルバーン Lubān である（別にキンドル Kindr ともいうが、この語はサンスクリット系だ）。

乳香樹　オマーン南部、ドファール州の谷間で

また、没薬を指す英語はマー、またはマールと読む妙なつづり Myrrh で（フランス語は Myrrhe）、語源となるセム系のヘブライ語ではモール Mōr、アラビア語ではムッル Murr で、これがギリシア語のムッラ Murra になった。中国語である没薬の「没」もここから来ている。原義は「にがい、ピリッとくる（もの）」であり、日本ではミルラと読み、辞書にはアフリカ

東部およびアラビア産のカンラン科ミルラノキ属 *Commiphora* の植物からしみ出す芳香樹脂で、香料、薬用となる、と書いてある。乳香樹とちがい、没薬樹は直径三〇センチメートルほどの主幹をもち、五メートルの高さに達することもある。幹には長いトゲが生え、乳香樹は色が白いのに対して没薬樹は赤。そして、かめばピリッとくる。そのにがさが木の名前になったわけだ。

万病の薬、そして悪魔祓《ばら》い

エジプトでは、没薬はすでに第一王朝――というから、五〇〇〇年の昔以来、万病の薬として多量に使われていた。それは人間生活の救い主なのである。またヘロドトスによれば、没薬は、とくにミイラの防腐剤として必需品だった。

これに対し、乳香はもっぱら祭式のときに焚かれた。(メソポタミアでは、大ピラミッド時代と同時代に当たるセム系のアッカド帝国時代の記録が出土している。しかし、記録といえば、古代エジプトの方がずっとはなやかだ。葬祭殿の内部には、建造者であるファラオ(エジプト王の称号)がその本体を礼拝する絵が描かれ、あるいは彫られているが、そこには金や銀の容器、宝石、羊や牛、菓子、くだもの、花、聖油などとともに、乳香、没薬の類はなくてはならぬ画材である。そして、乳香の入手経過をもっとも正確に、かつもっとも劇的に描いたのが、ハトシェプスト女王の葬祭殿の壁画なのであった。

乳香が古代オリエント世界全域やギリシア・ローマ時代に、このように多量に求められ、とくに祭式に用いられた理由は、そもそもは、悪魔祓いになくてはならぬものだったからである。病いや死は悪魔の仕業であり、悪臭を伴う。ところが、燃やした乳香は芳香を放ってこの悪臭を消すから、葬式には絶対必要な品だった。そのうえ、かいだ者に一種の恍惚《こうこつ》状態を起こさせる。そのため、宗教的儀式には乳香を燃やさなければならなくなり、また、専制君主たちは、わが身の神聖化のために乳香を必要としたのだ。

こうしてみると、乳香と没薬は社会、政治、宗教――つまり古代文化の成立と維持に、最高の役割を果たしていたことがわかってくる。飽くことなく求められたのはそのためで、しかもその産地は、南アラビアとソマリアだけだったのである。

前九世紀に生きた詩人のホメーロスは、エジプト人は皆が皆すぐれた薬師《くすし》で「まことに医の神《パイエーオン》の族《やから》である」と感嘆した。それを裏づけるように、ギーザのスフィンクスの胸のところに建てられたトトメス四世（前一五世紀末）の石碑には、日没の礼拝時に際し、彼が蜜、ブドウ酒、ブドウ、没薬など、一六種類以上の材料から精製した香料を用いたことがしるされている。

一方現地では、乳香樹に刻みをつけたり採集するときには、女性と交わったり葬儀に列したりしてみずからを汚すことを避け、こうすることによってその商品に神聖味を加えたようだ。そして、これを他の香料と調合するアレクサンドリアの工場では、紀元一世紀ごろの話だが、盗難を

ハトシェプスト女王葬祭殿（ルクソール）

防ぐため、職人は退出の際全員裸になってきびしい点検を受けたという。

2　ハトシェプスト女王の南海貿易

プントの国へ

アジアから来たヒクソス人の王朝を倒し、テーベ（現在のルクソール）を首都に、新王国を開いた第一八王朝（前一六世紀半ば～前一四世紀前半）は、外敵を西アジアまで追い払ったばかりでなく、エジプトを初めて世界国家の地位に押し上げた。以後四〇〇年、第一九、二〇王朝にかけて、帝国の版図はトルコ南部からメソポタミアにまで広がるのである。ハトシェプストはその興隆期に当たる第一八王朝の、しかも、古代エジプトを通じてただ一人の女性君主だった。

古都テーベからナイルの左岸へ渡ると、デイル・エル・バハリは、完全な禿げ山をはさんで、「王家の谷」の反対側にある。葬祭殿は、三方を断崖に囲まれた盆地のいちばん奥に、その断崖

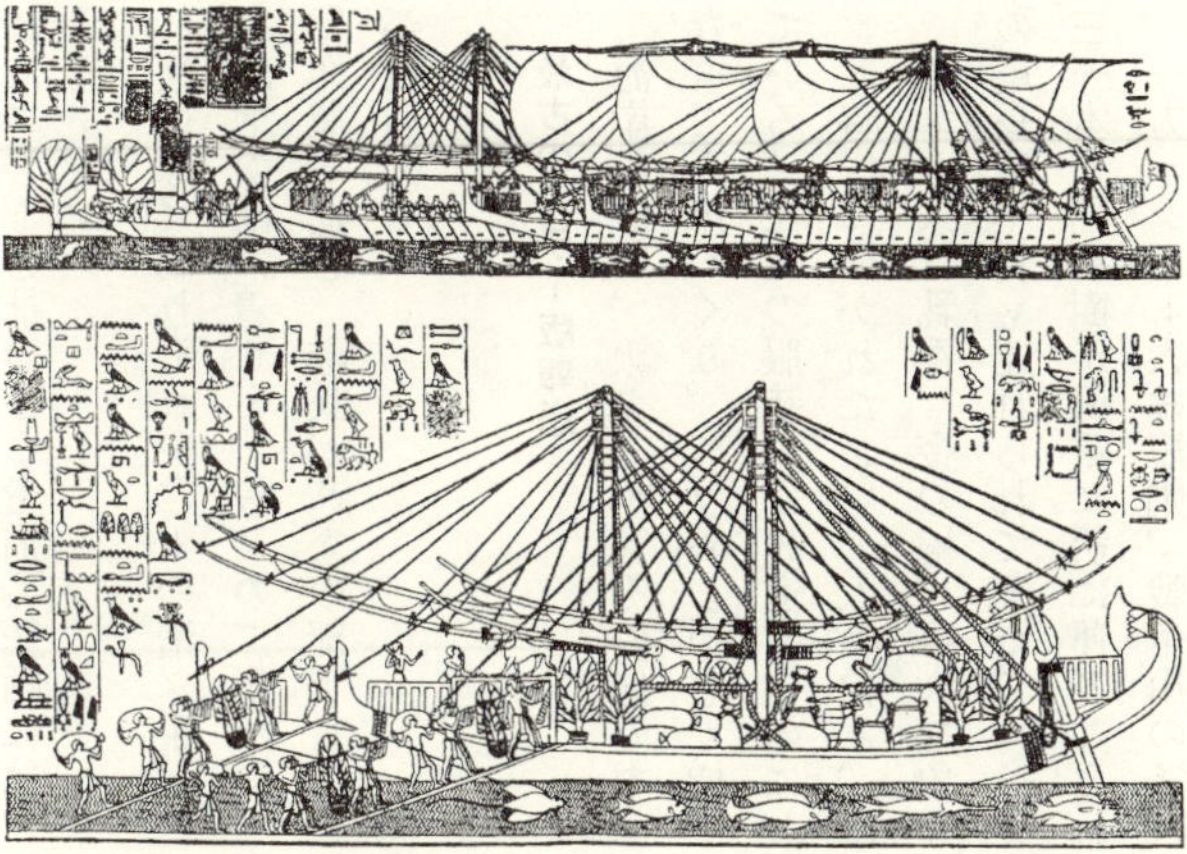

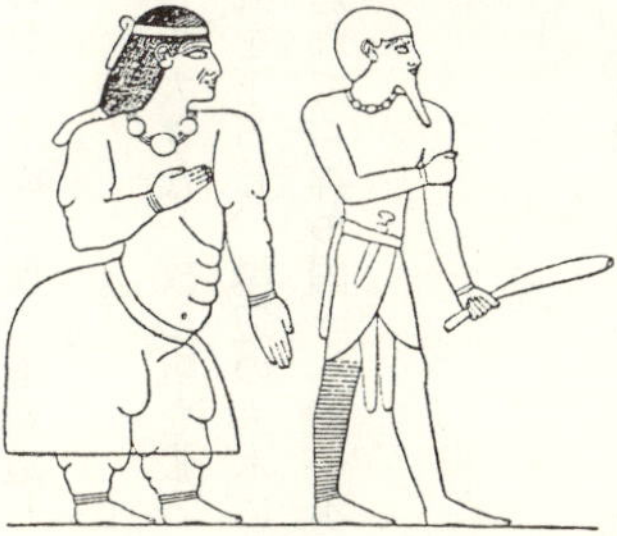

（上）プントに着いたエジプトの船団
（下）出迎えるプントの首長夫妻

を巧みに利用して建てられている。連続する三段のテラスに分かれた葬祭殿へ、参拝者は平地の方から、なだらかに築かれた参道をのぼる。プント遠征の壁画は、第二段のテラスの壁面に彩色つきで彫られている。

外敵を追い払い、抑圧から解放されたエジプト人は、数世紀ぶりに外界へ目を開いた。その結果生まれたプント遠征のさまを描く壁画には、珍しいものは何でも報道してやろうという好奇心の高揚がみられる。

遠征隊はそれぞれ三〇人の漕ぎ手、そして大きな一枚の帆を張った五隻の船団から成っていた。目的地の港に着くと、最初の二隻がまず帆を下ろし、岸辺の大木に長い綱で結びつけられて、繫留作業が進む。隊長が八人の部下を引き連れて「神の国」へ第一歩をしるすと、プントの王夫妻が出迎える。

最古のカラー版報道

海岸に沿い、ナツメヤシその他の木かげに現地人の集落が見えるが、みな円屋根をもった小さな家で高床づくり。取り外しのきく梯子で出入りする。家々のあいだには子牛やロバが寝そべっている。住民の服装には先進文化のにおいがない。それより一〇〇〇年も前、つまり、大ピラミッド時代に描かれたプント人の絵と、ほとんど同じだからである。

プント人は乳香、金の輪、巨大な象牙、豹の毛皮などをエジプト人の前に積み上げる。何頭もの尾長猿や豹も連れられてきた。エジプト芸術にとって貴重な材料である黒檀《こくたん》の木が切り倒され、三一本の乳香樹が慎重に船に運びこまれる。これは根がついたままである。

一方エジプト人は短剣、戦争用の斧、多彩な首飾りなどをテーブルの上に積み重ねている。このような情景は文字どおり物々交換による取引だが、エジプト側の記録によれば、乳香などの品はプントの王からエジプト女王への「貢ぎ物」で、短剣などはエジプト女王からの「贈り物」ということになる。要するにプントは原料を輸出し、その見返りに工業製品を輸入しているわけで、プントの後進性は明らかである。ただし、乳香樹の輸出あるいは持ち出しに関する記録は、興味深いことに、その後三〇〇〇年以上も、つまり一九世紀後半に至るまで、これ以外には存在しないそうだ。

取引は成立し、双方は満足した。壁面に刻まれた記録によれば、隊長は岸辺に立てた天幕に国王以下プントのおえらがたを招き入れ、「パン、ビール、ブドウ酒、肉、くだものその他、女王の命令で運んできたエジプト最良の品々でもてなした」。

記録はまだ終わらない。遠征隊の帰還を祝って首都テーベでは盛大な凱旋式が催される。先代の諸王にもたらされたどんな「貢ぎ物」を見ても、これらに勝るものはなかった。その画面を見れば、文字の発明者で、計算をつかさどるトト神がみずからプントの品々を記帳し、そのそばで乳香の量を計っているのは、ハトシェプスト自身なのである。

また、彼女の義理の息子で共同統治者のトトメス三世も、プントの使者から根こぎの乳香樹を受け取っている。これらの図柄は、乳香がプントの産物のなかで、いちばんの貴重品だったことを証明している。

以上の記録は、表現を変えれば、起承転結がきちんとしている模範的なルポルタージュだ。当世風にいえばカラー版の官報か。デイル・エル・バハリを初めて訪れたのは、もう四〇年以上昔のことだが、そのとき私は古代の絵入り草紙、つまり、新聞の原型に対面する思いがしたものであった。

ハトシェプスト時代から三〇〇年ほどたって、第二〇王朝のラムセス三世（前一一〇〇年代）がプントへ遠征隊を送ったときも、乳香樹が南の産物のなかで、いちばん貴重な品であったことが記録されている。

そして、いま——

時は移り、イスラームの時代になっても、アラブ人の香料志向は変わらない。

カイロに住んでいたころ、私はエジプト女性がアイラインを黒く強く引いている化粧法に注目した。それは古代の壁画に見られる女性の横顔と同じで、「ファラオ時代の女は今も生きている」と思わせたものだが、調べてみたら、コホルというその化粧料は乳香を焼いてつくったものなのであった。古代とちがうところは、乳香の煤《すす》をとかす水が、イスラームの聖地メッカから巡礼の際に持ち帰ったザムザムの聖水を最良とする——というところぐらいだ。

エジプト人はまた、夏の期間、室内の空気をさわやかにするために、乳香、安息香《あんそくこう》などを香炉にいれて焚く。私はサウジアラビアやバハレーンの王宮でお茶のもてなしを受けたことがあるが、そういうときはお茶のあとの礼儀として、アラビア服の使用人が手もちの香炉をくゆらせながら、お客のあいだを回る。われわれは手をかざして「香を聞く」のだが、思えば、あの何ともいえぬ刺激的なにおいには、乳香がまじっていたにちがいなかった。

3　ソロモン王とシバの女王

ラクダによる流通革命

エルサレムを都とするイスラエル王国（前一〇二〇～前七二二）は、ソロモン王（在位前九六七ころ～前九二八ころ）の治世のもと、黄金時代を迎える。その内容は旧約聖書の「列王の書」（新共同訳では「列王記」）に詳しい（以下の旧約からの引用は講談社版『聖書』による。フェデリコ・バルバロ訳、一九八〇刊）。

彼は南北貿易に精を出し、フェニキア人から成る船団を派遣して、オフィルから黄金四二〇タレントを入手した。そのオフィルとは、古代エジプト人のいうプントあたりと思われるが、香料貿易への言及はない。しかしそのころ、「海の道」ではなく「陸の道」が開発されていて、おびただしい量の香料がエルサレムに運びこまれている。二〇〇〇キロメートルの遠路にも臆せずに

運んだのはシバの女王で、彼女は香料と同時に、巨額の黄金も積み荷に加えていた。

シバ、またはサバと呼ばれる国は、現在のイエメン北部にあった。首都はマリブだ。イエメンには前一三世紀以降、サバ、マイン（ミナ）、カタバン、ハドラマウトの四王国が相次ぎ、あるいは並立して栄え、最後がヒムヤル王国になるという。

そして、北西アラビアのデダン（現在のアル・ウラー）で発見されたマイン時代の碑文は、そのころすでに南北に走る「陸の道」つまり貿易路が栄えていたことを記している。輸送の主力を成したのは、ラクダによる隊商である。

中東特産のヒトコブラクダは前一四世紀ごろ、シリア地方で初めて家畜化されたらしい。とすれば、ハトシェプスト女王時代のエジプトに、ラクダは存在しなかった。その家畜化により、アラビアには流通革命が起こったものと考えられる。紅海は珊瑚礁が多く、しばしば逆風が吹いて船を難破させる。それは危険な海であった。「乳香の道」が確立するに及び、イエメンからパレスティナに至る沿線に宿駅ができる。それは豊富な水をもつオアシスであり、あるいは荷を積み換えてエジプトへ送るための港であった。これらのうち、現存する最大の隊商都市が、のちにイスラームの聖地になったメッカとメディナである。

さて、このような情報網を通じて、シバの女王はイスラエルの繁栄と賢者ソロモンの存在を知った。聖書には彼女の名は書かれていないが、アラブの伝承ではビルキス、またはバルキスという。「列王の書」によれば、彼女のエルサレム訪問のしだいは次のとおりである。

「シバの女王はソロモンのうわさを聞き、なぞをつかって彼を試そうと思い、旅に出た。香料と巨額の黄金、宝石をのせた数多いらくだを連れて、彼女はエルサレムに着いた。ソロモンの前に出た彼女は、心に抱いていたすべてのことを質問した。ソロモンは彼女の問いにすべて答えた。王に説明できなかった難問は一つとしてなかった。シバの女王はソロモンの知恵、その建てた王宮、その食卓の料理、家来たちの住まい、彼らの奉仕、彼らの服装、給仕たち、主《しゅ》の神殿にささげる王の燔祭《はんさい》を見たとき、息絶えんばかりに驚き、王に言った」――

この文章を読む限り、女王ビルキスはイスラエル王国の先進性に打たれたのである。「列王の書」の作者は、次に彼女に一人称で語らせている。南アラビアの女王のなまの声だから、貴重な記録として、その驚きのさまを少しくだいて訳しかえてみよう。

「陛下のお知恵や行いについては、かねがね伺っておりましたが、まさにそのとおりでございます。でもここに来て、この目で見るまでは信じられませんでした。それに、事実の半分も語られておりません。陛下のお知恵と御繁栄のほどは、まこと、わたくしが耳にした以上のものでございます。絶えずおそばにはべり、知恵のお言葉を聞ける奥がたや御家来衆は、なんとしあわせ者でございましょう（下略）」。

女王は外交辞令が上手

ここには感嘆と羨望《せんぼう》の念がいりまじっている。しかし、私は少し斜に構え、そこに外交辞令を読み取りたい。と同時に、疑問もわいてくる。

二人の対話は、はたして聖書が伝えるとおりの知恵くらべで終始したのだろうか。問答の具体的内容がまったく紹介されていない点、残念至極なのであるが、いやしくも二国間の元首会談が開かれたのに、内容が知恵くらべだけだったとは考えにくい。思うに、このくだりは本論への導入部にすぎず、それが終わり、友好的な雰囲気が生まれたうえで、二人は本会談に入っていったのではないだろうか。

本会談は貿易交渉である。私のような素人ばかりでなく、海外には、真剣に考察している学者もいる。その学者によれば、ビルキスの一行は経済使節団であり、エルサレム会談の主目的は乳香、没薬の流通に関する協定を結ぶことで、そこにはたぶん、陸路、海路による香料積み出し問題まで含まれていた。

「ソロモンの雅歌」には次のような一節がある。

黄金のドームが建つモリアの丘　遠景はオリーブの山（エルサレム）

朝のそよ風が吹き始め
やみのとばりが上がるまでに
私は没薬の山、乳香の丘に行こう

ここでいう「没薬の山、乳香の丘」とは、神殿が建つモリアの丘のことだ。イスラエルびとにとって、香料はそれほど神聖、貴重なものであった。実は、ビルキスは情報網を通じてそのことを知っていたから、膨大な香料の贈り物でまずイスラエルびとの度胆を抜き、次いでソロモンの知恵に恐れ入ったふりをして、取引を有利に進めようとしたのではあるまいか。「列王の書」の作者も事実は事実として次のように書きとめている。

「彼女は黄金一二〇タレント、巨額の香料と宝石を王に献上した。シバの女王がソロモンに贈ったほど多量の香料は、それ以来イスラエルに入ったことはない」。

こうして始められた貿易交渉はうまく妥結を見たようだ。ビルキスについてのエピソードを作者は次のように締めくくっている。

「ソロモン王はシバの女王の望みどおりの物を与え、王らしく寛大に扱い、贈り物を惜しまなかった。そののち女王は家来を連れて国に帰って行った」。

その取引が一回限りでなかったことは、ソロモンの死後間もないころのものと思われる南アラビアの印章が、パレスティナで発見されたことで証明されよう。

エルサレムの一夜

ところで、数百人の女性にかしずかれたソロモン王と才色兼備のシバの女王は、知恵くらべと貿易交渉を行っただけで別れたのだろうか。「いや、〈愛のロマンス〉が生まれた」といっているのは、意外や、エチオピア筋。そこで思い出話を振り出しに、そのいきさつを紹介しよう。

私がカイロに住んでいた一九五〇年代は、イエメン北部もエチオピアも王制国家で、シバ（またはサバ）王国の本家争いをしていた。国営エチオピア航空のパンフレットには、エチオピアが本家であることが明記されていたし、一方、北イエメン最大の新聞——といっても週刊だったが、その紙名は『サバ』であった。シバ王国の主権が、プントのように、紅海をはさんで両地域に及んでいたと考えることもできよう。女王は美女でなければならなかった。

一方、これに対するソロモンは、エジプトのファラオの娘のほかに、異国の女も多く愛したドンファンである。「列王の書」は、書きも書いたり、彼には七〇〇人の妃と三〇〇人のそばめがいたとしているが、その真偽のほどはさておき、彼が異国の女に目がなかったことは、やがて神の怒りを招き、イスラエル滅亡の原因となるのである。

さて、ロマンスについてのいきさつは、エチオピアの伝説にしか残されていないが、幸いなことに、私が持っているフランス語聖書には、欄外に詳しく述べられている。さわりの部分を紹介すれば次のとおりだ。

そのころ、アクスム王国（エチオピア）の女王ビルキスは南アラビアをも治めていた。独身の彼女がエルサレムを訪れたころ、ソロモンは栄華の絶頂を極めていたが、彼女の貢ぎ物に驚くと同時に、その知恵と美貌に心動いた。

一方ビルキスの方も、王の威厳と魅力に無関心であるわけがなかった。そこで王に教えを乞い、まことの神に帰依し、提供された離宮にまる一年住んで毎日王と語らい、王の催す饗宴をともにした。

しかし、これ以上故国を留守にできないと悟り、彼女がいとま乞いを申し出たので、ソロモンはこれまでに勝る豪華な宴を張ったが、一計を案じ、料理に塩と薬味をたっぷり利かせておいた。最後の夜だから話もはずみ、彼女が引き下がろうとしたころには、夜はすっかりふけていた。離宮は闇のかなたにある。そこでソロモンは、じぶんの寝室のひとつを提供しようと申し出る。彼女はその好意を受けた。ただし、「わたくしの操を傷つけるような御振舞はなさらぬ」という条件をつけて。

「もちろん」と王は答えたが、同時につけ加える。「さりながら、わたくしの承諾にも条件がひとつございますぞ。部屋へお引き取りのあいだ、女王はわたくしの持ちものに、何ひとつ手をお出しになってはなりませぬ」。

ふたりはにこやかに誓い合い、こうして女王は用意された寝室へ下がった。しかし、眠りにおちいるいとまもなく、彼女はのどの渇きに苦しめられた。そういえば、あんなに辛い料理なのに、王が飲み物をすすめてくれなかったなんて、いともふしぎなことだった。この渇きを鎮めるには、どうすればよいだろう。

見れば、手の届くところに水差しが置いてある。彼女は思わずその水差しを取って、冷えた水をごくごくと飲んだ……。

とばりのかげからこの光景をうかがっていたソロモンは、仕掛けた罠にビルキスがかかったのを見てほくそ笑んだ。彼女は彼の持ちものである水を盗んだのだ。彼女が誓いを破った以上、彼はじぶんの誓いから解放されたことになる。

彼は彼女の部屋に入った。「女王よ、水はわが国では貴重な品であるのですぞ」といいながら……。

翌日の別れのとき、ソロモンは金の指輪をシバの女王に差し出して告げた。「わたくしたちにもし王子ができたら、この指輪をはめてやってください。そうすれば、父親の宮殿の扉は彼の前に開かれることでしょう」。

やがて、タナ湖（青ナイルの源）の島の離宮でビルキスは男の子を生み、メネリクと名づけた。王子は成年に達すると、くだんの指輪を証拠にエルサレムを訪れ、父王から帝王学をみっちり仕込まれた。これがエチオピアのソロモン朝の創始者メネリク一世なのである。

この伝説の王メネリク一世から現実の王メネリク二世のあいだには三〇〇〇年近い歳月の隔りがある。一九世紀末、侵入したイタリア軍を破って独立を達成したメネリク二世（一八四四～一九一三）は、一九七五年に革命の犠牲者として悲劇的な死をとげた最後の皇帝ハイレ・セラシエの外祖父なのである。

第二話　女王の都パルミラ
——西アジアでいちばん美しい廃墟

プロローグ　二つの劇的要素

パルミラへはダマスカスから出かける。国道一号線のアレッポ街道を北上すること一六〇キロメートル、ローマ時代はエメサといわれたホムスで直角に右折すれば、真東へ一五〇キロメートルで目的地に達する。この直角三角形の斜辺に当たる砂漠路をたどると近道だが（約二三〇キロメートル）、一部は道が悪く、軍事的な理由もあって、「ダマスカスに戻ってホムス経由で行きなさい」と、外国人旅行者は途中の関門でUターンさせられることがある。

これに対し、前者は全線が一級道路で、しかもホムスからは、かつてアウレリアヌス帝の率いるローマ軍が、ゼノビア女王が守るパルミラの攻略をめざして東進した道の跡だし、また今では、イラクの油田から地中海へ抜ける大パイプラインも、道のすぐ南側を走っている。つまり、ホムス・パルミラ街道は、古代と現代の双方に思いをめぐらすことができる道なのである。

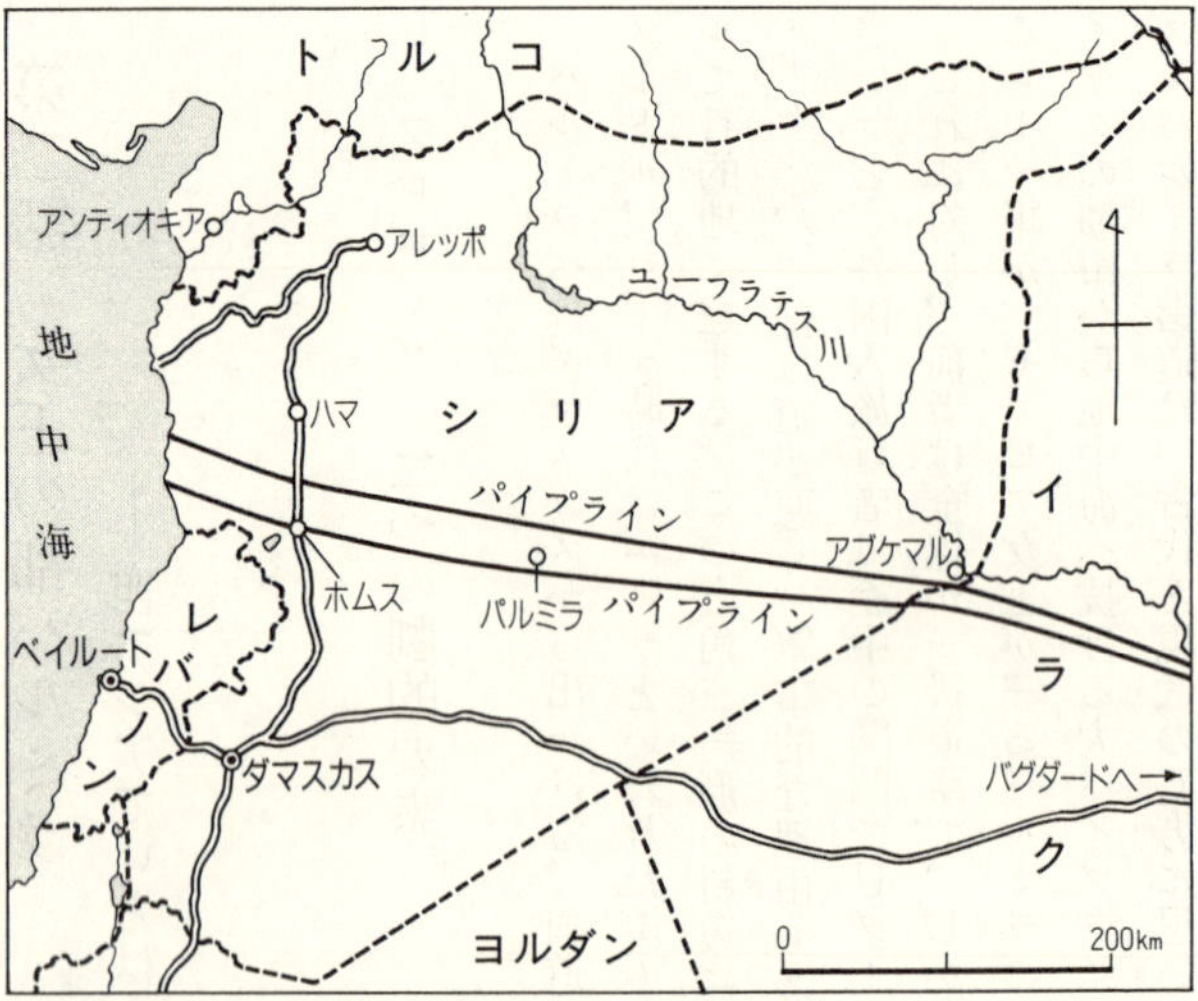

シリアでは、道路標識はフランス語とアラビア語で表記され、距離はキロメートルで示されている。パルミラ PALMYRA は PALMYRE（パルミール）であり、アラビア語ではどうだろうと、窓外に飛び去る標識内の文字を読み取ったら、ローマ字に置き換えると、TDMR の四字であった。子音主体の表記はセム系言語の特徴で、たとえば預言者のムハンマドは MHMD とつづる。これをムハンマドあるいはモハンメドと読むのは、われわれ門外漢には恣《し》意的とも思えるのであるが、TDMR の場合も同じで、これを Tadmor すなわち、タドモルと読まなければならないとは……。

シリア人のあいだでは、シリア砂漠のまんなかの大オアシスに位置したこの町は有史以来、そして現在もなお TDMR といわれているわ

空撮によるパルミラ全景（1962）　右手前はベル神殿

けだ。そこで、厳密にいえばパルミラとは、紀元一世紀はじめにローマ人が公式にそう命名して以来、約二五〇年の時期を飾った名称にすぎない。しかし、その末期――三世紀後半のことであるが――パルミラは隊商都市から帝国へと空前の膨張をとげ、ローマへの入城を夢見た後に、急転直下、その驕りの責任を負って滅亡する。悲劇の主人公は「オリエントにおけるもっとも高貴な、もっともうるわしき女性」とローマの史家に書かせた女王ゼノビアであり、それは四〇〇〇年後にイスラームが登場する以前に、セム人が行った最後の膨張活動なのであった。タドモルのオアシスのはずれに横たわる広大な廃墟が強くわれわれの関心をひくのは、束《つか》の間の隊商国家パルミラの存在が、悲劇性と歴史性という二つの劇的要素をあわせ持っているためにほかならない。

1 歴史と伝説のあいだ

シルクロードの宿駅

パルミラは東と西を結ぶ交易路、すなわちシルクロードの宿駅のひとつであった。遺跡からは漢時代の絹の裂地《きれじ》が多数発見されている。シルクロードという言葉はなぜかわれわれ日本人の心を強く打つ響きをもっているだけに、この隊商国家の盛衰は、ひとしおわれわれの興味の的になる。

ホムスから二時間ほど走ると、前方をさえぎる二つの丘の切れ目をなす峠の向こうに、古城がすり鉢型の禿げ山の頂きにそびえているのが見える。後世のアラブ時代の城で、「この下がパルミラ」を示す目じるしだ。峠を越えると間もなく、道路の両側へ広がっていく谷間のあちこちに、崩れた四角い塔が姿をあらわす。ここは「墓の谷」(死者の谷)と呼ばれ、パルミラ時代の数多い墓地のうちもっとも重要な場所であって、四角い塔はそれぞれ墓なのである。絹の裂地はこれらの墓地で発見され、ダマスカス博物館の特別室に飾られている。

この谷の狭い出口を抜けると、ゆるやかな斜面の前方いっぱいにパルミラの廃墟が広がる。まったく劇的な出現だ。斜め右前方へ列柱道路が切れ切れに走り、その終点にぽつんと見える記念

（上）**列柱道路**　遠景に四柱門も見える
（中）**記念門**
（下）**太陽神ベルの神殿**

門のアーチの向こう、遠景の中央にどっしり立つのが最高神ベル（セム語「バアル」のバビロニア方言で「あるじ」を意味する）の大神殿だ。一七五一年三月、本格的な探検家として初めてこの遺跡を訪れ、銅版画入りの詳しい報告書を刊行したイギリス人のロバート・ウッドは、そのときの印象を次のように書き残している。

「われわれは白大理石づくりの壮大な廃墟をまったく一瞬の間に発見したのであった。このような廃墟はいまだかつて見たことがない。そしてこれらの遺跡の背後には、かなたユーフラテスへ、目路《めじ》の果てまで平地が広がっていたが、動いているものはひとつもなかった。この光景以上に目を奪うものを想像することはまずできない。城壁も、堅固な建造物もほとんどなく、こんなに数多いコリント式列柱が立ち並んでいるさまは、目にし得る限り最高のロマネスク的効果をつくり出している」（『パルミラの遺跡』）。

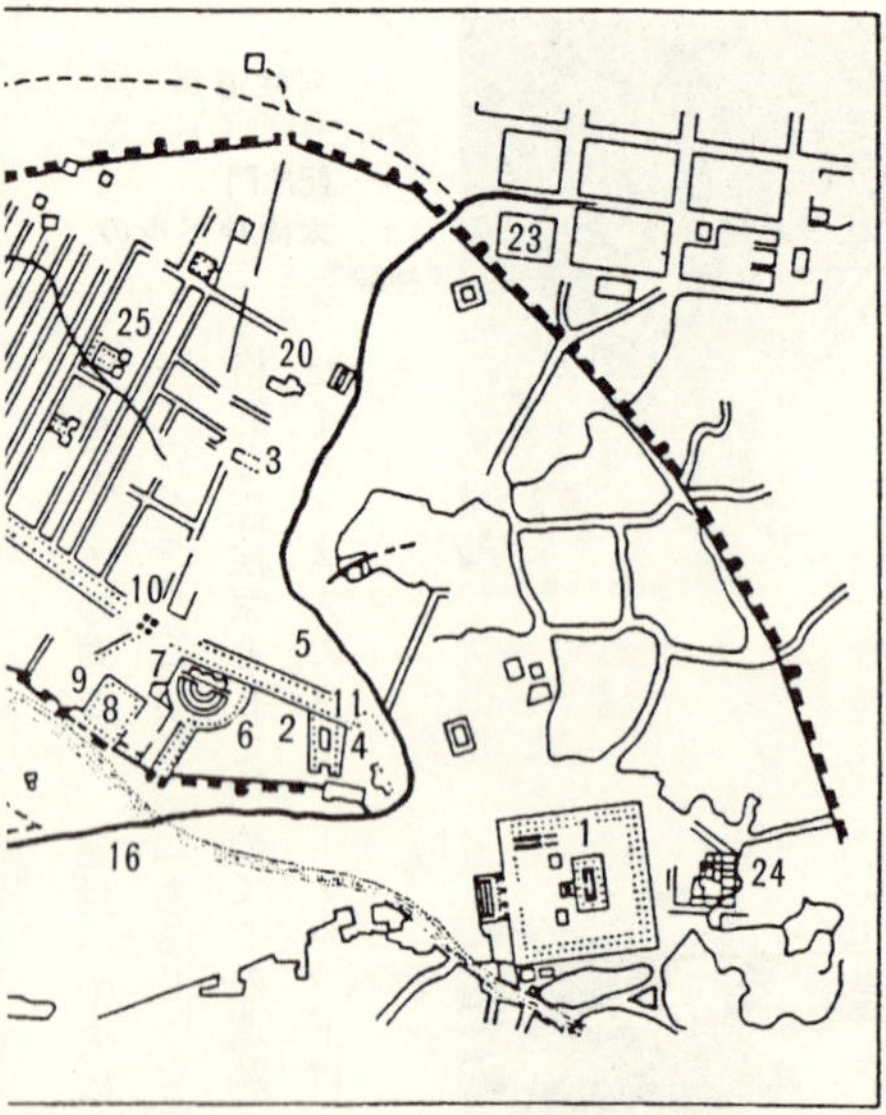

そのときより一五〇〇年近く昔の二七二年、大軍を率いて攻め寄せたローマ皇帝アウレリアヌスは、この同じ場所からパルミラを遠望したはずだ。しかし、それは廃墟ではなく、帝国に反逆し、しかも帝国に取って代わろうとするパルミラであった。そのような爆発的なエネルギーをみなぎらせていたパルミラの威容は、皇帝の目に、はたしてどのように映ったのであろうか……。

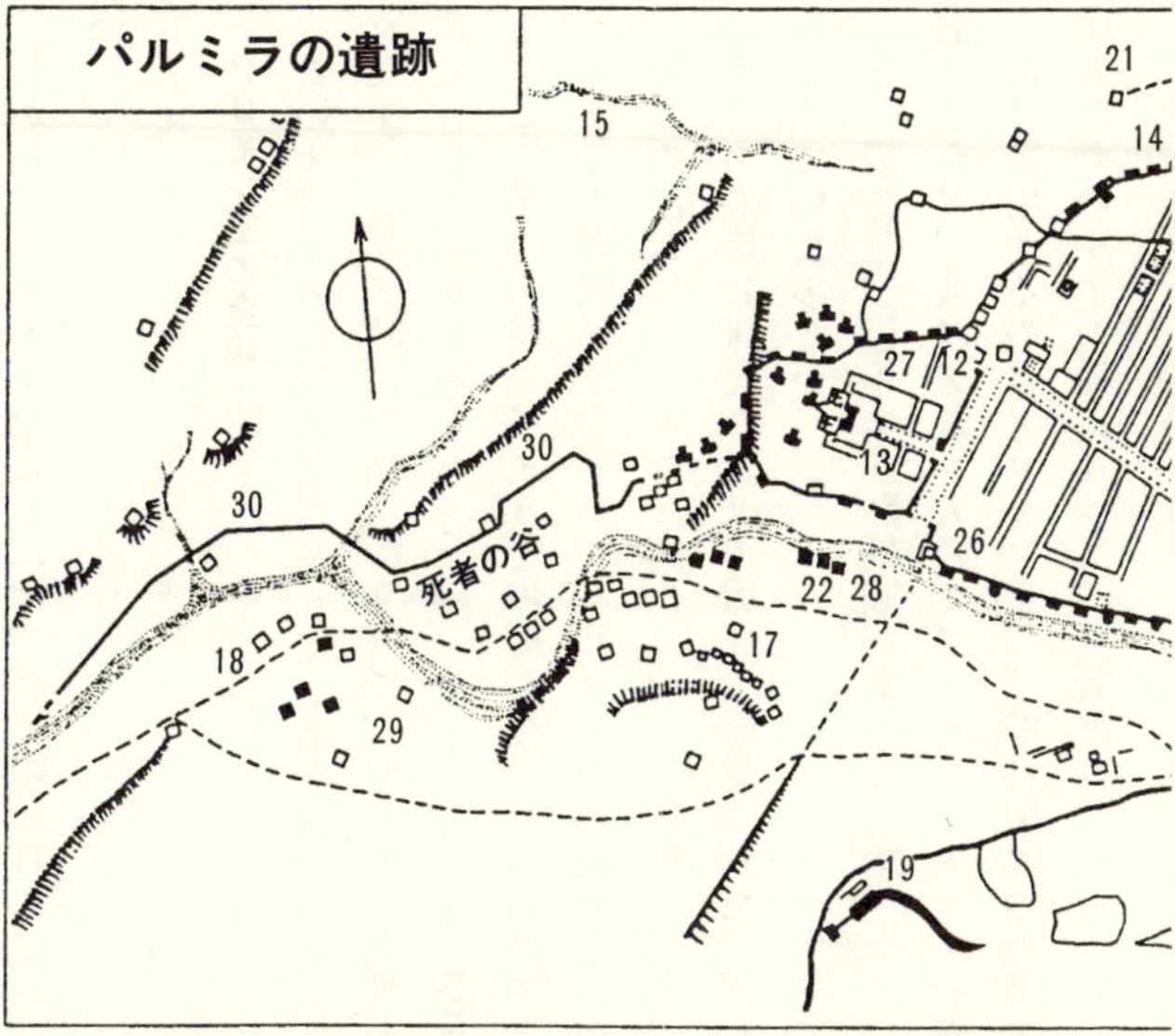

1 ベルの聖域　2 ナボー神殿　3 バール・シャミン神殿　4 記念門　5 ディオクレティアヌスの浴場　6 劇場　7 クリア　8 アゴラ　9 宴会場　10 テトラピュロン（四柱門）　11 列柱道路　12 神殿式廟　13 ディオクレティアヌスの軍営　14 ゼノビアの城壁　15 アラブの城　16 記念柱　17 ジャンブリコの墓　18 エラベールの墓　19 エフカの泉　20 ゼノビア・ホテル　21 マロナの墓　22 アイラニの墓　23 パルミラ博物館　24 住宅　25 ビザンツ時代のバシリカ　26 ディオクレティアヌスの城壁（ユスティニアヌスが改修）　27 アッラート神殿　28 新発掘現場　29 ヤルハイの墓　30 水道施設

しかし、パルミラを語るには、歴史の節目に従い、まずタドモルの昔に返ってみなくてはなるまい。

ソロモン王の登場

このオアシスに初めて言及しているのは、今のところ、カッパドキア（トルコ中部）で発見されたアッシリア時代の粘土板文書で、紀元前一九世紀ごろのものとされるこの契約文のなかに、証人として「タドモルびとプズル・イシュタル Puzur-Ishtar」なる人物が登場しているのである。この男は当時タドモルを占拠していたセム系のアムル人に属していたようで、それはハンムラビがこの遊牧部族を率いてバビロンを征服する以前のことだ。

第二の記録はハンムラビ時代（前一八世紀）のもので二つあり、ともにアブケマルの北、ユーフラテス右岸に栄えたマリの書庫で発見された。それによると、当時タドモルにはアラム人が住み始めていたらしい。

その後約七〇〇年の沈黙期間があって、アッシリアの征服者ティグラト・ピレセル一世の年代記によれば、彼はアラム人のオアシス、タドモルを親征している。

次に登場するのはソロモン王だ。旧約聖書の「列王の書」と「歴代の書」の彼のくだりが一時、学者たちの論争の種になった。両者ともだいたい同じことを述べ、文献も共通なのに、前者では

「荒野《あれの》のタマル」で、後者では「荒野《あれの》のタドモル」なのだ。つまり、後者はタマル（TMR）をタドモル（TDMR）に置き換えているのだが、それでよいのかという問題なのである。

前者では、ソロモンが建設したイスラエルの町々が列記され、その最後にはタマルが来る。これをエルサレムから直線距離で三〇〇キロメートルも離れたタドモルとするのは文脈上唐突すぎるから、このオアシスは死海の南部砂漠にあるタマルに比定した方がすっきりしている。これに対して後者では、ソロモンは「ハマト・ゾバへ遠征してそこを占領し、荒野のタドモルを建設した」とあり、エルサレム、ダマスカス、ハマト、タドモルという合理的な路線が紹介される。これで「タドモルはソロモンの建設」という説が有力になった。

しかし、「列王の書」が前六世紀ごろの作で、「歴代の書」が三〇〇年後のヘレニズム時代初期のものという背景を考えると、後者の方には多分の誇張性がみられるのだが、そのような分析を離れ、「荒野のタドモル」は一人歩きを始めてしまう。史実から伝説への移行である（ただし、時代がくだって、一九七八年、ニューヨーク刊の「聖書国際版」ではともに「砂漠のタドモル」、また、わが国の「新共同訳」（一九八七刊）ではともに「荒れ野のタドモル」となっている）。

ユダヤ人の伝説と廃墟の壮大な規模は、後世のアラブ人の作家たちの想像力をもかき立てた。ダビデとその子ソロモンは彼らに親しまれている預言者だから、パルミラは「ソロモンがジン（精霊）に命じて一夜でつくらせた都の跡」ということになってしまう。そしてソロモンと、彼の妻になったシバの女王ビルキスは、一時期をこの都ですごしたという話も生まれる。市街の中央、アゴラ（公共広場）のそばのセラリオと呼ばれる建物は彼の離宮跡であり、その西北数百メートル、保存度がよいので有名なジャンブリコの塔墓が立つ丘は、今でも「ウンム・ビルキス」と呼ばれる。「ビルキスの座所」という意味である。伝説に味つけされると、廃墟は一段と魅力を増す。

水とナツメヤシ

波瀾の生涯を送った一世紀のユダヤ人史家ヨセフスは、『ユダヤ古代誌』のなかで、パルミラについて、次のように書いている。

「彼（ソロモン）は高地シリアの砂漠の奥深く分け入り、高地シリアとユーフラテスからそれぞれ二日行程の地点に、きわめて大きな都を建てた。人が住む地域からこんな遠くに都市建設を行ったのは、これ以上南に下れば水がどこにもなく、ここだけにしか水源と井戸は見つからないからである。こうして町をつくり、豪壮な周壁をめぐらせてから、彼はこの町をタダモラと呼んだ。これはシリア人が今も用いている名前で、一方ギリシア人たちはパルミュラと呼ぶ」。

ソロモンにパルミラへまで行かせてしまったのは、「歴代の書」の線上にある誇張だが、この記述には興味をひく点が二つある。

第一は水にかんする情報の正確さだ。乾燥地帯に住む者にとって、水情報は正確でなければならない。そこでまず、パルミラ・オアシスを取り巻く地理的環境を考えてみよう。

シリア周辺の地図を眺めると、この国では、可耕地が半円をなして、三日月形にシリア砂漠を取り巻いているのがわかる。その円の中心がパルミラだ。西の方を見ると、南から北へ、ハウランの平野、ダマスカスのオアシス、ホムス、ハマ、アレッポの平野が続く。北と東はユーフラテスの流域である。その流れは国境の町アブケマルをめざし、砂漠を横切って南東へ流れ、イラクを貫流してペルシア湾に注ぐ。この円弧は、パレスティナからメソポタミア南部にかかる農業の発祥地、いわゆる「豊かな三日月地帯」の頂点をなしている。

次に、東西交易の面からながめてみよう。ユーフラテスの河口にあるカラクス（現在のホラムシャハル付近）で川船に積み換えられたインドや中国の物資は、アブケマルで荷揚げされ、ここをターミナルとする隊商がホムスをめざす。その隊商路のほぼ中間地点がパルミラで、しかもそこには水が豊富にあったのだ。東西交易の発展とパルミラの発展とは正比例をなす。

その水源は、東向きの「墓の谷」を形成する南側の丘陵の先端近く、谷とは反対側の斜面のふもとにあって、「エフカの泉」と呼ばれる。ベル神殿の真西約一・五キロメートルのところである。エフカとはセム系のアラム語で「（水の）出口」を意味する。レバノンの北部、アドニス伝説で有名な「アフカの泉」も同じ語源だ。アラム語は紀元元年の前後各六世紀以上、すなわち千

二、三百年にわたり、「豊かな三日月地帯」でもっとも普及していた言葉だった。イエスが日常用いていたのもこの言葉だといわれる。

エフカの泉は一〇〇メートル以上も深い洞窟の奥から流れ出てくる。やや硫黄くさいが、湧出量は毎秒一五〇リットルという豊富さだ。この水がパルミラの人口を養い、数万本のナツメヤシの林を育てた。住民が泉を神聖視するのは当然だろう。

神聖なエフカの泉

この泉の周辺には、何本かの柱の部分や、刳形《くりかた》をつけた石の破片が散乱している。もともとは太陽神ヤルヒボルに捧げられたものだが、二世紀末から三世紀の前半にかけ、エフカはパルミラ人にとって特異な崇拝の対象になり、彼らはそのまわりに、たくさんの奉納物を並べ、小祭壇を建てた。そこには奉納文が刻まれていたが、それはもちろん「泉のあるじ」の加護を祈願するものであった。

そこはまた神託の場所でもあった。信者は泉からあふれる清流に捧げ物を流し、巫女《みこ》から神託を仰ぐ。ゼノビア女王もまた、じぶんの運命をローマとの戦いに賭けようとしたとき、この泉を訪れている。

さて、ヨセフスの記述のうち、興味をひく第二点は、タドモルとパルミラとの関係である。ギリシア人はこの町をパルミュラと呼んだ。そしてローマの第二代皇帝ティベリウス（在位一四〜三七）の時代に正式にラテン語でパルミラと呼ばれることになる。これはパルマ Palma から派生した言葉で、パルマとはギリシア語でナツメヤシを指す。したがってパルミラとは「ナツメヤシの町」となる。シリア砂漠最大のオアシスを指すのにふさわしい表現といえよう。これはセム語のタドモルを同じ意味のギリシア語に置き換えたのだ——と書いている解説者が多いようだが、専門家は否定し、セム語ではタドモルの意味を満足に説明し切れないという。つまり、セム人が登場する以前に住んでいた部族が残した、古い古い意味不明の地名なのである。

ともあれ、ヨセフスの記述は、パルミラおよび「豊かな三日月地帯」に、ギリシア人が多く住んでいたことを物語る。それはヘレニズムが浸透していたことの証明だ。アレクサンダーのマケドニア帝国崩壊後、ペルシアから西アジアにかけては、大王の幕僚の一人が建設したセレウコス朝が紀元前六三年、ローマに滅ぼされるまで存在していた。その結果ギリシア語が普及し、パルミラではゼノビアの時代においてさえ、暦にはセレウコス暦を用い、重要な記録として残された碑銘を見れば、まずギリシア語で、次いで同文のパルミラ語（アラム語の一方言）が刻まれている。新興国ローマの文化的影響力はまだ弱かったのだ。

この種の碑銘で見ると、ゼノビアはパルミラ名ではパト・ザッバイで「(神の) 贈り物の娘」という意味。たぶん父親の名が「贈り物」を意味するザッバイだったのだろう。これでは両者は無関係のようだが、アラビア語名ではザイナブだ。このザイナブ Zainab からゼノビア Zenobia が出てきたようだ。彼女がアレクサンドリアで鋳造させた貨幣を見ると、その横顔を取り巻いてゼノビアというギリシア文字が浮き出ている。この事実は彼女がこの呼び名を容認し、しかも好んでいたことの証拠のように思える。

2　ローマとペルシアのはざまで

緩衝国という存在価値

紀元前二〜前一世紀、アルサケス朝ペルシア（パルティア、安息国《あんそく》）の勢力がペルシアからメソポタミアに膨張し、一方ローマがセレウコス朝シリアを滅ぼすと、この二大国の接触により、中東地域にはかつてのペルシア対ギリシアのような緊張が生じた。すでに隊商都市として台頭していたパルミラは、この新情勢を巧みに利用して一層の発展をとげる。それは両者の勢力圏のちょうど中間にあり、しかも砂漠がその安全を保障していたからだ。パルミラはあるときはローマに、またあるときはペルシアになびくと見せて中立を守り抜く。両大国にとっても、緩衝国として、その中立は必要だった。

こうした状況下でパルミラは、東西および南北の交易路の十字路としてにぎわう。町の首長は通過する隊商たちのために、砂漠の部族長たちから通行権を確保してやった。不毛の土地案内に先導役をつけてやったし、要すれば弓騎兵も同伴させた。遊牧民からの襲撃に備えるためだ。その見返りとして隊商たちは重い入国税と、やや軽い出国税とを支払わせられた。この二重の税金がパルミラの主要財源なのであった。木綿、フェニキア紫（特殊な巻貝からとる紫色の染料）、絹、ガラス、香料、香辛料、オリーブ油、乾燥イチジク、ナッツ、チーズそしてブドウ酒――これらがこのオアシスを通過した当時の貴重物資である。

ある学者は「娼婦」をこれらの商品リストのなかに入れる。日乾し煉瓦の集落は、郊外の石切り場から運んできた石灰岩造りのヘレニズム都市に変容する。神殿が建ち、アゴラが開かれ、セラリオという商取引に必要な施設がにぎわうころになると、娼家はオアシスという砂漠の港町にとって、欠くことのできぬ存在となったのであろう。

神殿といえば、最高神をまつるベル神殿は、少なくとも前四四年には建立されていた記録がある。パルミラ人は古代世界の七不思議のひとつ、小アジアのエフェソスにあるアルテミスの大神殿をしのごうとして、この聖堂を建て始めたのであった。前四四年といえば、ローマでカエサル（シーザー）が暗殺された年だ。このことは、当時すでにパルミラの財力がどれほどのものであったかを物語っている。

カエサルの後継者の一人としてアレクサンドリアを本拠に、パルティアと戦ったアントニウスは前四一年、パルミラを襲った。その伝説的な富をわがものにしようと思ったのだ。そのとき、隊商からの情報で状況を判断した首長や商人たちは、住民たちを連れて町をからにし、全財産とともにユーフラテス川を渡った。そして万一に備え、すでにその名を謳われていた弓騎兵を河岸に配置した。アントニウスは戦わずして勝ったが、それはモスクワのナポレオンと同じだった。火災の役を演じたのは砂漠である。敵は追ってこなかったが、ローマ軍は無一文でもと来た道を戻らなければならなかった。

ローマへの傾斜を深める

パルミラにはもちろん、古代バビロニアやペルシアが代表する東方世界の文化も入りこんでいた。そして砂漠での戦術は遊牧民出身のパルティア人に多くを学んだことだろう。町には彼らの居留地もあった。しかし一世紀に入ると、しだいに帝政ローマへの傾斜を深め、ウェスパシアヌス帝（在位六九〜七九）の要請に応じて、エルサレムの攻略に協力している。その積極的な協力ぶりにはらわたが煮えくり返ったユダヤ人は、次のような呪いの言葉を投げつけた。

「パルミラの滅亡を見ん者は幸いなるかな！」（タルムード）。

第二神殿の破壊に際し、パルミラは八〇〇〇の弓騎兵を派遣したというのである。

間もなく五賢帝時代（九六〜一八〇）に入ると「ローマによる平和 Pax Romana」が確立し、

トラヤヌス帝（在位九八〜一一七）は帝国の版図を最大規模にまで広げ、パルティアの首都クテシフォンを抜き、ペルシア湾岸のカラクスまで兵を進めた。彼の時代にローマ軍は現在のシリア南部およびヨルダンに当たるナバタイ王国を攻め、首都ペトラを占領している（一〇六）。ペトラ（岩という意味）は岩山をくり抜いてつくった「難攻不落の都」といわれた都市で、南アラビアと地中海を、また、エジプトとメソポタミアを結ぶ交易の中心地だった。いわばパルミラの商売がたきであったのだが、この王国の滅亡により、パルミラはこの地域における通過貿易の実権を手中に収め、ハドリアヌス帝（在位一一七〜一三八）により、「自由都市」の身分を与えられた。パルミラの経済力の上限期がこうして始まる。

町の中心はグレコ・ロマン風に変容して行った。バール・シャミンの神殿が建つ。正門と西側の回廊が建って、ベル大神殿は完成する。「墓の谷」には豪華な地下墓地が掘り抜かれ、塔墓の数が増す。さらに公共建造物に手が加えられ、大列柱道路の最初の部分ができ上がり、アゴラの修復も完成した。そこには隊商、元老院議員、軍人、役人など二〇〇人の像が建てられた。

ローマの東方政策

軍人皇帝の時代（一九三〜二八四）にセプティミウス・セウェルス帝（在位一九三〜二一一）がセウェルス朝を建てたが、この王朝時代（一九三〜二三五）は帝国がもっとも繁栄した時代だった。彼は北アフリカのトリポリタニアにあるレプティス・マグナ（現リビア領）生まれのアフリカ人、おそらくはフェニキア人の子孫であり、シリアで勤務中エメサ（ホムス）の太陽神をまつったベル神殿の祭司の娘ユリア・ドムナと結婚した。こうした経歴から彼は東方政策に熱を入れ、みずからパルミラを訪れ、パルティアの首都クテシフォンを占領した。パルミラが「自由都市」から「植民都市」へ格上げになったのは、彼の息子カラカラ（在位二一一〜二一七）の時代であった。

セム系のセウェルス朝時代、パルミラの商業活動はますます活発となり、それに応じて町は一層美化される。大列柱道路はベル神殿の方へ延長され、その終点として、今も残る優雅な記念門が建てられた。そして町の貴族たちは、セプティミウスとその妻ユリアをしのんで、自分たちの名にこの二人の名のどちらかをつけ加えるのだった。市民権を獲得したパルミラ人がラテン名をつけ出したのは、五賢帝時代以後のことである。

ローマの平和が続く限り、ローマ人はインド、中国の物資を求めてやまず、共和制末期以来、シルクロードを押さえて中間搾取を行うパルティアをきらって、ローマはインド洋経由という「海の道」利用の直接貿易に精を出した。ところが帝政が確立して需要が増大するにつれ、「陸の道」の利用も無視できなくなると、両ルートが合わさるメソポタミアの確保が必要になる。ところがパルティアの首都クテシフォンはそのメソポタミアにあったのだ。トラヤヌス帝とセウェルス朝諸帝が行った東方遠征の意図は、一にパルティアによる中間搾取の排除にあった。

しかし、ローマ対パルティアの闘争が決着を見ないうちにパルティアは自壊作用を起こして滅亡する。これを滅ぼしたのはササン朝ペルシアの創設者アルデシール一世（在位二二六〜二四一）で、かつてアレクサンダーによって崩壊したアケメネス朝の子孫を名乗った。この新興勢力の出現は従来のローマ・ペルシア関係に新たな緊張を呼び、パルミラ自体の運命にも重大な影響を与える。

アルデシールは国内統一の過程で、ペルシア湾岸のカラクスを首都とするカラケネ王国を滅ぼし、その通商上の利益を独占した。ここはパルミラ商人のインド貿易の基地だったから、彼らが受けた打撃は大きい。彼らはカラクスばかりでなくペルシア各地に居留地を設けて、東西貿易を手広く行っていたのだった。

3　隊商都市から王国へ

ペルシアとパルミラ

次いで後継者であるシャープール一世（在位二四一〜二七二）は二四四年、ユーフラテス河畔でローマ皇帝ゴルディアヌス三世を敗死させ、二六〇年には小アジアまで攻め入って、エデサの戦いでヴァレリアヌス帝（在位二五三〜二六〇）に大勝、皇帝自身および多数のローマ軍兵士を捕虜にし、地中海のアンティオキアまでも破壊した。ペルセポリスに近いナクシュ・イ・ルスタムの磨崖に刻まれたササン朝時代の浮き彫りのひとつは、このときの戦勝を記念したものである。ヴァレリアヌスはクテシフォンで皮を剝がれて殺された。帝政以来、ローマがこれほどの屈辱を受けたことはない。

しかしこのとき、パルミラ軍が決起して、ローマの体面を辛うじて救った。セプティミウス・オダイナト（ギリシア名オダエナトゥス）なる指導者の率いるシリア、アラブの混成部隊は帰還するシャープール軍をユーフラテス河畔に捕捉して撃破、勝ちに乗じて首都クテシフォンの城壁にまで迫ったのである。ヴァレリアヌスの奪還には成功しなかったものの、オダイナトは敵王のハレムの一部を含む財宝とともに凱旋している。彼はまたヴァレリアヌスの後継者争いに際しては小アジアに兵を進め、その息子ガリエヌス即位のために働いた。ローマ対ペルシアの闘争史のなかで、パルミラがこれほどの主導的役割を演じたことはかつてなかった。

次のような話が残っている。はじめオダイナトはシャープールのもとに使者を立て、丁重な親書でヴァレリアヌスの身柄の返還を求めると同時に、多額の贈り物を届けた。しかし、勝ちに驕るペルシア皇帝は、書状を一読して激怒する。「無礼者め。思い上がりおって。わが前にきたり、平伏してその非礼をわびぬとあらば、パルミラとやらをこの足で踏みにじってくれるぞ」。そして使者の見ている前で、親書と贈り物のすべてをユーフラテス川に投げ捨ててしまった。シャープールはパルミラという隊商都市の存在価値を認識していなかったのだろう。これは、新興勢力ゆえの情報不足に基づく彼の重大な失策で、伝統的中立を守り抜こうとしたオダイナトの考えはこれで変わった。

オダイナト、「王」を名乗る

こうしてみると、オダイナトは外交的手腕と政治的決断、および果敢な行動力をあわせ持った男であることがわかる。ガリエヌス帝は「東方総督」の称号を与えてその功績に報い、帝国東方領の統治を彼に委ねた。四世紀のローマの史書も「帝国軍が壊滅したとき、もしオダイナトが権力を握っていなかったら、東方領のすべては失われていたろう」と高く評価している。

この男オダイナト Odaynath, Udaynath はアラビア語ではオダイナ Odaynah, Udaynah で「ちいさい耳」という意味だから、たぶんアラブ系の出身で、家系は少なくとも六代さかのぼることができる。先祖から数えるとナソール、ワハバッラート、ハイラーン、オダイナト、ハイラーン、オダイナトの順で、このうち四代目のオダイナトは二三〇年ごろローマの元老院議員を務めており、セプティミウスを初めて名乗る。これはそのころパルミラを訪れたアレクサンデル・セウェルス帝（在位二二二〜二三五）のおかげだろう。その子ハイラーンは二〇年後に同じく元老院議員であったが、同時に初めて「タドモル首長」の称号を帯びる。その息子が問題のオダイナトで、少なくとも二五八年には首長の地位に就いている。

彼はさらにもったいぶったローマ名を名乗った。ユリウス・アウレリウス・セプティミウスというのだ。ユリウスはユリアの男性形で、アウレリウスはカラカラ帝の別名にちなんだものだろう。そして東方総督に就任すると同時に「全東方の改革者」の称号を採用し、またペルシア風に「諸王の王」とも称した。パルミラに初めて王が出現したのである。ササン朝を破った彼は、アルサケス朝ペルシアという一帝国の後継者を自任したのであろうか。

ともあれ、オダイナトはすぐれた政治家であって、砂漠に住む動向常なきアラブの族長たちを懐柔し、ユーフラテス沿岸の隊商都市でローマ軍の基地でもあったドゥラ・ユーロポス（シリア東部）からエメサに至る、「豊かな三日月地帯」のオアシス都市を味方につけて、二六七年に至る七年間の大半をササン朝と戦ってすごした。東方総督たる地位にふさわしい行動である。そしてその年、カッパドキアに侵入した北方の蛮族ゴート人を迎え撃つべくエメサまで出陣したとき、その地で長男の王太子ともども、甥とその一味のために暗殺されてしまった。

犯人はマエオニウスという男であるが、この暗殺者も犠牲者である父子も、史料からは年齢がはっきりしない。しかし、マエオニウスもそのいとこの王太子もともに成年には達しており、前者はオダイナトの早世した兄の息子だったようだ。つまりマエオニウスの「世が世ならば」という慢性的欲求不満がエメサで爆発したわけで、甥に対する叔父の寛容がオダイナトの身の災いとなったのである。

ゼノビアの登場

マエオニウスは国王を宣した。空前の政治的発展のさなかに行われたこの宮廷クーデターは、しかし、敏速なゼノビアの行動で鎮圧されてしまう。彼とその一味を一挙に葬り去ったのだ。歴史への彼女の登場である。ゼノビアはオダイナトの後妻であった。

パルミラの動揺を未然に防いだゼノビアの行動については暗い臆測がつきまとう。マエオニウスとの共謀説だ。王太子はオダイナトの先妻の子だったから、じぶんの息子を王位に就けるため、まずマエオニウスに二人を殺させ、次いで彼を厄介払いしたというのである。なるほど彼女は実子のワハバッラートを王位に就けた。しかし未成年だったから、みずから摂政になって実権を握る。この事実からみると、共謀説は根拠が薄くならざるを得まい。おそらく、彼女はじぶんがつくり出したのではない危機を冷静かつ敏速に切り抜けたのだ。その男勝りの政治的手腕に後のローマへの反逆が加わって、右のような悪女説が生まれたのだろう。

ゼノビアはパルミラに定着した砂漠の豪族の娘だったらしい。その血統から幼時以来狩猟のわざに長じ、また都会人の娘として古典を学んでいるうちにクレオパトラに傾倒し、みずからをその子孫と信ずるほどになったという。彼女は数カ国語に通じたが、教師には事欠かなかった。というのは帝国の東方領は戦乱に明け暮れていたので、平和な中立国へ難を避けてくる教養人が多かったからだ。そのなかでもっとも重用されたのは新プラトン派の哲学者ロンギノスで、彼はゼノビアが女王となった後、宰相に任じられている。プラトンとホメーロスについて彼女が詳しかったのは、ひとえに彼のおかげだった。

しかし、彼女をもっとも際立たせているのは、何といってもその美貌である。一〇〇年後の史家が伝えるところでは、肌の色は浅黒く、歯は真珠のように白く、大きな黒い目はきらきら輝くかと思えばふるいつきたくなるような優しさをたたえており、声は澄み、力強く、オリエントに

（上）ゼノビアの姿が入った貨幣
（下）パルミラの貴婦人（紀元3世紀）

おけるもっとも高貴な、もっともうるわしき女性だった。それでいて有能な戦士であり、乗馬を好み、夫に従ってクテシフォンへの遠征にも加わり、将軍たちとは深酒をともにしている。「その美においては祖先と信じたクレオパトラに劣らず、貞節と勇気においてはかの女王をはるかにしのいだ」とは、大著『ローマ帝国衰亡史』を書いたギボンの言葉である。

4　「ローマ入城」を夢見て

夫の遺業の実現へ

そのような女性ゼノビアがローマに戦《いくさ》を挑むとは理解に苦しむところであるが、ここで推測できるのは、未完に終わった夫の事業を実現しようとする彼女の意思の固さである。戦場でもそうであったように、政治の場でも、彼女はオダイナトの側近であった。夫は「諸王の王」であり、また「東方総督」としてローマ皇帝の分身だった。さらに、具体的内容は不明だが、「全東方の改革者」でもあったのだ。これほどの実力をもった軍人政治家は、当時の帝国内にほかにいたであろうか。

二六〇年からの一〇年間を見ると、ローマ帝国は混乱の極にあったように見える。軍人皇帝はつぎつぎと殺され、辺境を守る将軍たちの三〇人もが「われこそは」と皇帝を自称するありさまだった。しかもスペインからバルカン、小アジアにかけて蛮族の侵攻が相次いでいた。このような内憂外患を鎮めるにはじぶんが荒療治を行う以外にないとオダイナトが思っていたにしてもふしぎでない。前例はあるのだ。セウェルス朝はアフリカのフェニキア人とシリア人の血がまじるセム系王朝だったし、二〇余年前にローマの建国一〇〇〇年祭を主宰したフィリップス・アラブス帝（在位二四四〜二四九）はその名が示すようにシリア出身のアラブ人だった。皇帝の分身であるパルミラの君主は皇帝自身になる当然の権利をもっているのである……。

二六九年、ゼノビアは行動を開始した。総司令官ザブダーの率いる七万の大軍はエジプトに侵入、有力な協力者を得てローマ軍を破り、アレクサンドリアを占領したのだ。エジプトはクレオパトラの滅亡以来ローマの穀倉であり、またインド洋を含む南海貿易の中継地だった。そのエジプトをまず奪取したパルミラの作戦には、相当な深謀遠慮がこめられている。

ゼノビアはアレクサンドリアでクレオパトラの遺品を捜させたといわれているが、同時に政治家として、貨幣の鋳造を命じている。息子ワハバッラート（アッラート神の贈り物という意味で、ギリシア名はアテノドーロス）の称号は、はじめは「卓越せる諸王の王、セプティミウス・オダイナトの子、全東方の改革者」、一方ゼノビアは「卓越せる女王、諸王の王の母」で、かつてアントニウスがクレオパトラに贈った称号そっくりだが、アレクサンドリアの貨幣では一転する。

束の間の「パルミラ帝国」

すなわち、月桂冠をつけた息子の胸像には「全能者、カエサル、ワハバッラトス・アテノドーロス・セバストス」のギリシア語が刻まれ、彼がカエサル（皇帝）になったことを示す。セバストスとはラテン語のアウグストゥスだ。またゼノビア自身の貨幣も現れる。表はディアデマ（冠帯）をつけた優雅な彼女の胸像と「セプティミア・ゼノビア・セバステ」の文字、裏はローマのディアナ女神の頭像だ。そこにはローマのあるじになろうとする彼女の野望を読み取ることができよう。さきに鋳造したアウレリアヌス帝の胸像入りの貨幣よ、さらば。彼女の行為は不遜《ふそん》だったが、要するに、勝てば官軍になれるのである。彼女はすでに、宝石をちりばめ、金箔で飾った戦車をつくらせていた。それはローマ入城の際に用いるためのものであったが……。

ゼノビアはアンティオキアに本営を置き、数万の軍隊を送ってカッパドキアのアンキュラ（現在のアンカラ）を占領させた。かくてパルミラの領土はユーフラテスからエジプトまで広がり、東西交易のすべてを押さえる一大帝国にまで発展した。しかしながら、パルミラ帝国はその果実を十分に味わう暇もなく、一挙に滅亡の淵に沈んでしまう。アウレリアヌス帝（在位二七〇〜二七五）による反撃のためで、その急変ぶりはあまりにも劇的というほかない。

バルカンの貧農出身のアウレリアヌスは粗暴な軍人であったが、やがて暗殺されるまでの五年間に、断末魔同然だった帝国を本来の姿に立ち直らせ、そのため「世界の再建者」と呼ばれている。彼は二年がかりで帝国の泣きどころだったガリア（フランス）の反乱を鎮圧するや、二七二年のはじめ、全力をあげてバルカンを渡り、小アジアに入る。「皇帝きたる」の報を聞いてこの地域の諸都市はパルミラ軍に門を閉ざした。かくてローマ軍はほとんど戦わずにアンキュラを奪還し、アンティオキアでゼノビア軍を破る。隊商帝国の基盤はまだもろかったのだ。

オダイナト落命の故地エメサで、太陽神の加護を信じて迎え撃った会戦もゼノビア軍に利なく、彼女はパルミラに退いて最後の抵抗を試みた。攻防数カ月、砂漠という未知の敵に包囲される一方、風土に慣れた敵の反撃を受け、水や食糧の補給もままならぬローマ軍の苦戦ぶりは、アウレリアヌス自身が投げ槍を受けて負傷したことからも想像できる。彼は元老院に訴えた。「女にあしらわれているとローマ人は私をばかにしているだろう。しかし、それはゼノビアの性格と威信とを知らぬ者の言である」。

滅亡、そして廃墟

アウレリアヌスが砂漠の諸部族を懐柔して補給線を確立すると、ついにパルミラの命運は尽きた。期待したペルシア、アラビア、アルメニアからの援軍は来なかったのだ。一夜、ゼノビアはラクダに乗って包囲線を突破、東へ向かって疾駆した。ペルシアに援軍を求めるためである。このことは、ローマと事を構えるに先立ち、彼女がペルシアと和解していたことを物語っている。

しかし、この時点のペルシアはシャープール一世が死んだ直後で、「共通の敵ローマ」と戦う余裕はなかったらしい。ゼノビアの一行はユーフラテス河畔に達したものの、そこで追いついたローマ軍部隊の捕虜となる。パルミラは城壁にオリーブの枝を出して降伏せざるを得なかった。

アウレリアヌスは一部の「戦犯」を除いてゼノビア以下全員を許し、彼女を凱旋式の目玉としてローマへ連れて帰ったが、途中パルミラで反乱が起こったと聞くやただちに引き返し、今度はベル神殿を除く町のすべてを破壊し、そして略奪した。エメサの神域での裁判で、アウレリアヌスから反逆の罪を責められたとき、ゼノビアは悪びれずに答えたという。

「皇帝の権威は地に落ちたと思っておりましたのに、あなたを見て、その顕在を知りました」。

ゼノビアのその後については二説ある。食を絶ってローマに着かないうちに死んだというのと、凱旋式にみじめな姿をさらした後、余生をローマ郊外ですごしたとの二つである。いずれにせよ、女あるじを失ったパルミラは、以後二度と世界史に登場することはなかった。あとは再発見された廃墟があるだけだが、貞節と美しさと、そして教養と武勇とを兼ね備えたゼノビアの思い出が残るからこそ、廃墟は限りなく魅力的だ。

ユダヤ人の呪いに代え、私は次のパロディーをもって、この小文を結びたい。

パルミラの廃墟を見ん者は幸いなるかな！

第三話　アラブ帝国の出現

――噴出したイスラーム・パワー

プロローグ　「剣かコーランか」の虚構

預言者ムハンマドの死後二年もたたぬうちに始まったアラブの征服活動は、第一期の正統カリフ時代（六三二〜六六一）の最初の一〇年間にペルシアから北アフリカに及び、第二期のウマイヤ朝時代（六六一〜七五〇）の第六代カリフ、ワリード一世（在位七〇五〜七一五）の治下にあっては、東は中央アジア、西はイベリア半島にまで拡大した。同朝は一時はインダス川流域およびフランスの各一部まで支配下に収めるほどの史上まれな大帝国を建設している。このような「爆発」ともいうべき急激な膨張の原動力になったエネルギーは何か。ササン朝ペルシアの皇帝ヤズダギルド三世も、ビザンツ（東ローマ）皇帝ヘラクレイオスも、またイベリアの西ゴート王ロドリーゴも、麾下の精鋭軍団がかくも簡単に、砂漠から出てきた「烏合《うごう》の衆」に壊滅させられようとは、おそらく夢にも思わなかったことだろう。

このエネルギーの実体としてふつう説かれるのは「剣かコーランか」というイスラームの狂信性だ。すなわちムスリム軍は敵に対し「戦うか、それともイスラームに帰依するか」の二者択一を迫ったというのである。そして、戦場に倒れるムスリム兵には、殉教者として、天国行きが約束されていた。「天国は前に、地獄は後にあり！」

現実的にいえば、天国とは豊かな物質世界を形成している敵地であり、地獄とは、彼らがひと旗挙げようと思って捨ててきた、慢性的欠乏症の砂漠地帯だ。ベドウィン（砂漠の遊牧民）が古来からもち、彼らの行動原理になっていた略奪への本能が、イスラームの狂信性に裏づけされ、あのような大膨張の起爆剤になったというわけである。

実は、このような俗説は中世のヨーロッパで発生したもので、明治以後の日本にまで渡来して、中東についての予備知識のなかったわが国では、イスラーム理解のキャッチフレーズとして、今でも相当深い根を張っているようだ。さる良心的な啓蒙書でも、一応の留保条件をつけながら、「いわゆる〈剣かコーランか〉のイスラム教」という表現を用いているがごとしである。

しかし、このような狂信性は中南米を征服したスペインのキリスト教徒にこそ当てはまるべきもので、アラブの征服者にそのような非寛容性はまったく見られない。なるほど、たとえば最初にイベリアを征服したターリク・イブン・ジヤードが戦いを前に、全軍に発したといわれる布告を見れば、「いくさに勝てば、美女も財宝も思いのままだぞ」とけしかけているくだりがある。

戦利品が勝者のものであるのは古今東西を通じての常識で、アラブに内在する略奪への本能のボルテージが他民族に比べ異常に高かったという証拠にはならない。

アラブの征服者は、原則として「剣かコーランか」の二者択一を迫らなかった。これは「イスラームの戦争」を通じての基本的原理である。

1 天の時、地の利、そして人

コーランか貢納か剣か

彼らはもうひとつの条件を加えて、三つの選択肢のうちのひとつを選ぶことを求めたのであるが、この「もうひとつの条件」が後世のヨーロッパでも、したがって日本でも、故意に無視されてきた。三つの選択肢とは、コーラン（イスラームへの帰依）か、降伏して貢納するか、それとも剣（戦争）かであって、彼らは実は、この三つのなかの「貢納」をもっとも求めたのである。

戦えば、常勝という保証はないし、勝敗にかかわらず多くの犠牲者が出るから、剣に訴えるのは味方にとっても最悪の選択だ。それなら残る二つの平和的選択肢のなかで第一がいいかといえば、決してそうではない。初期の征服者たちは相手が、つまり非アラブがイスラームに帰依するのを好まなかったふしがある。「アッラーの前にあっては皆平等である」とイスラームは説く。

帰依したとなれば、彼らを平等に扱わねばならず、征服地からの実入りは少なくなって、帝国の膨大な維持費を捻出《ねんしゅつ》できない。したがって相手が降伏し、貢納してくれれば最良ということになるのである。そこで彼らは相手が降伏しやすいように、この貢納額を前支配者時代の納税率より低く押さえた。征服者が被征服者から解放者として迎えられた理由の一半はここにある。征服時代に見られる狂信性とは反対の寛容性は、実はこのような現実主義に裏打ちされていた。ウマイヤ朝の実態はアラブ貴族優先の社会だった。

しかしこれだけでは、アラブ軍常勝の理由説明にはならない。なぜアラブ軍は強かったか。それについては、すでにさまざまな分析がなされているが、これを東洋風の表現を用いて要約すれば、アラブは天の時、地の利、そして人を得ていたことになる。

共倒れ間近の東西帝国

天の時とは、膨張するアラブが真っ先に衝突しなければならぬペルシア帝国とローマ帝国が、共倒れ寸前の状態にあったということである。アレクサンダー大王のマケドニア対アケメネス朝ペルシア、ローマ帝国対アルサケス朝ペルシア、そしてビザンツ帝国対ササン朝ペルシア——と、西アジアからエジプトに広がる中東地域は東西両帝国の激突の場であり、七世紀に入ると両者はこの地域を取ったり取られたりして死闘を繰り返し、その結果、両者とも国力の消耗が甚だししかった。とくにペルシアは皇帝の入れ替わりが激しく、暫定的に女帝が登場するなど、末期的症状を呈していた。このようなとき（六一〇ころ）、メッカの一商人ムハンマドに神の啓示がくだったのである。

啓示を受けた後のムハンマドは、新しい教えを説く単なる預言者ではなかった。そのことはメディナ移住後の彼の一〇年の晩年（六二二〜六三二）が証明している。彼は味方の敗北やみずからの負傷にもめげず、実戦を指揮する有能な軍司令官であった。このような「強い預言者」はおよそ他に例がない。また彼はウンマと呼ぶ共同体をアラビア半島につくりあげた。いわば統一国家の樹立である。

こうしてみれば、彼は国家元首と最高司令官と宗教上の長という三つの職能を兼ね備えた天才であった。そして既成国家の長である両帝国の皇帝は、このようなウンマの誕生についての知識にまったく欠けていた。

最初メディナを首都に確立した「ムハンマドのウンマ」は、ウマイヤ朝の試行錯誤時代を経て、アッバース朝（七五〇〜一二五八）以後は「ムスリムのウンマ」に拡大し、一人のカリフ（後継者という意味）が聖法のもと、多民族国家を統治するというウンマの理想的形態が実現した。イスラームはウンマに公正な社会秩序を確立するよう求める。しかし、カリフ権の衰退、とくに二〇世紀に入ってトルコ共和国によるカリフ制の廃止後は、民族国家の続出に伴い、ムスリムの統一

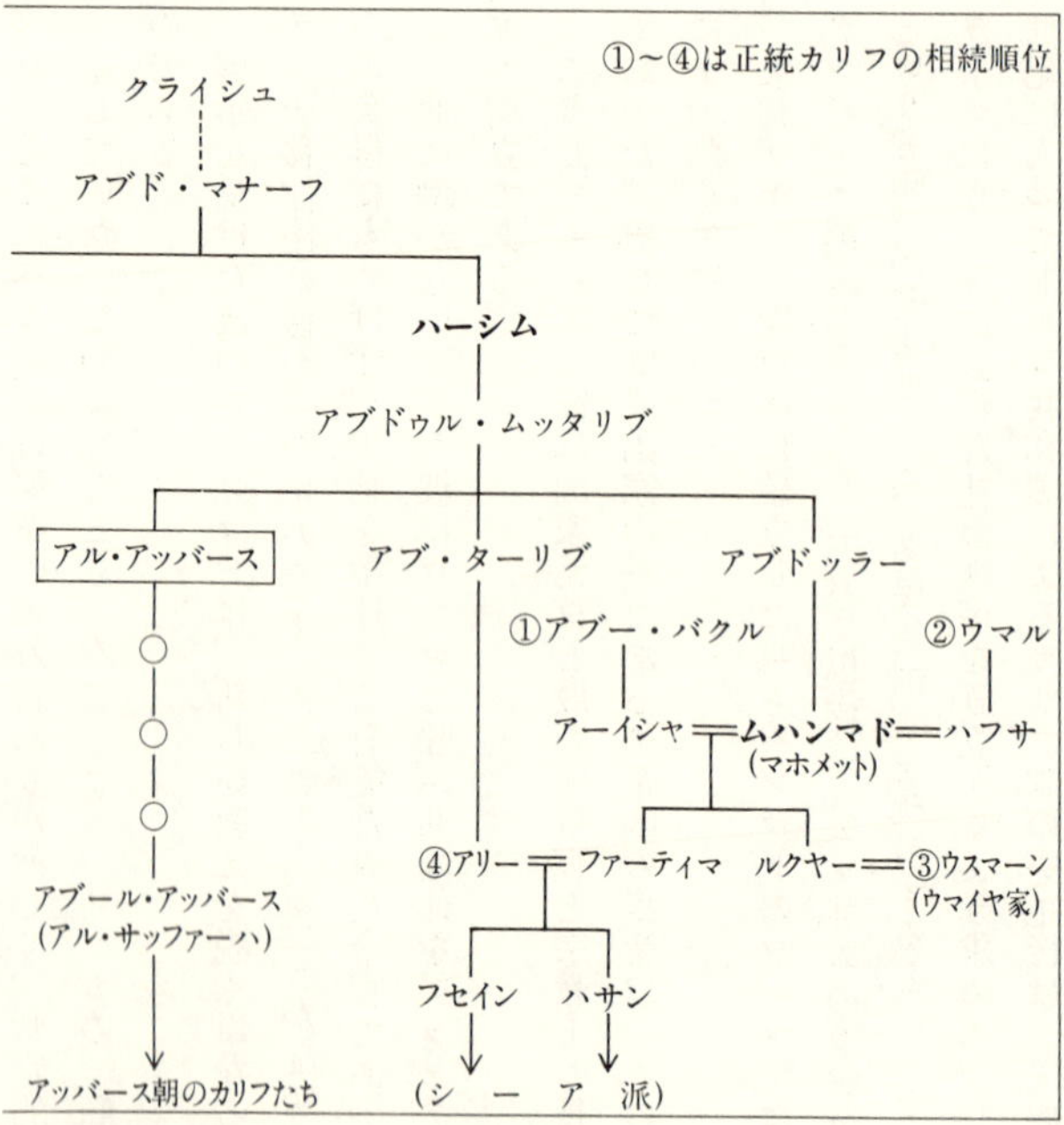

されたウンマは理念のなかに存在するにすぎなくなってしまった。

セム人の世界、人材輩出

地の利とは、両帝国が支配する西アジアのメソポタミア、シリア地方は、アラブが属するセム人が古代から断続的に膨張し、そして定着する居住空間だったことだ。アラブ以前のセム人の最後の膨張は紀元三世紀半ば、シリア砂漠のオアシス、パルミラに出現したアラム系の隊商都市国家であることはすでに述べた。その隆盛の期間は短かったが、最盛期にはササン朝ペルシア軍を破り、エジプトを支配下に置いて、一時はロ

**ウマイヤ家とアッバース家
および
ムハンマドの姻戚関係**

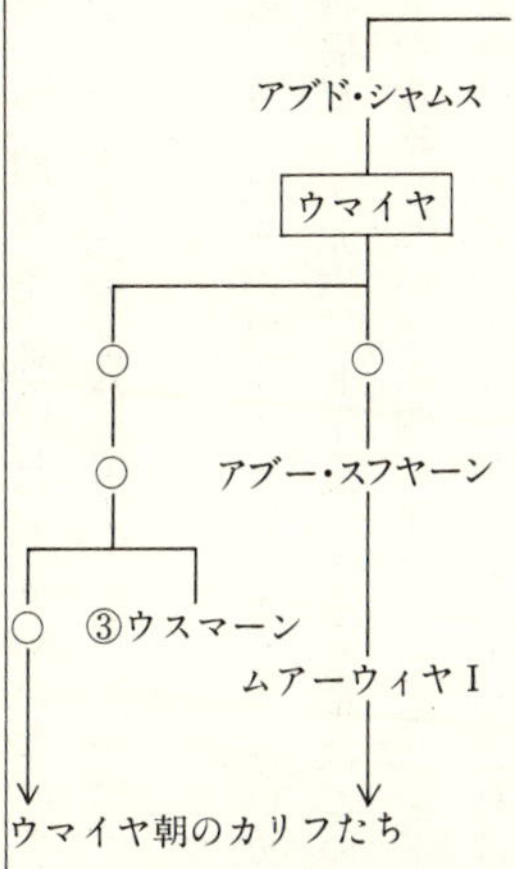

ーマ帝国と覇を競ったほどであった。それから四世紀を置いて、今度はアラブ人が膨張の主役になったわけである。したがってビザンツ（東ローマ）、ペルシアに押さえつけられていた現地のセム系住民たちは、アラブ軍の進出を同族の到来、解放者の出現と見ることができた。

最後に、人の強みとは、ムハンマドが良き後継者としての政治家、武人を得たことである。第一期の征服時代の主役になったのは、政治家としては初代カリフのアブー・バクル（在位六三二〜六三四）と二代目のウマル（在位六三四〜六四四）であり、武人としてはヤルムークの戦いでビザンツ軍を破ったハーリド・イブヌル・ワリードとエジプトの征服者アムル・イブヌル・アースを挙げることができよう。とくに前者はムハンマドから「サイフッラー」（アッラーの剣）という呼び名をもらったほどの勇将だ。カリフがどのように有能であっても、これほどすぐれた将がいなかったら、アラブの軍事征服はあのように敏速かつ大規模に進展しなかったであろう。

また、第二期の征服時代にあっては、イベリアを征服した前述のターリクと中央アジアの征服者クタイバ・イブン・ムスリムがいた。この二人の活動がなかったら、ウマイヤ朝はあれほどの大帝国を建設できなかったはずである。

そしてイスラームが、彼らの進出を正当化するイデオロギーとなった。

2 イラン・イラク戦争のルーツ

戦勝記念館

ここで時計の針を一四〇〇年ほど回して、時間を現代に引き戻す。ある日バグダードから戻ってきた友人が「イラク政府はカーディシーヤの平原に記念館をつくっていますよ」という。「カーディシーヤ?」。聞き返す私の心はときめいた。それは隣のイランで王制が崩壊して革命が成就し(一九七九)、イラクおよび湾岸のアラブ諸国が「イスラーム革命の輸出」に神経をとがらせているころだった。

南イラクの、今ではその場所さえはっきりしないカーディシーヤとは、アラブ版の関ヶ原ともいうべき古戦場だ。紀元六三七年夏、アラブ軍はこの地でペルシア軍に大勝、余勢を駆って首都クテシフォンを攻略、ついに六四一年、ニハーワンドの戦いに完勝してササン朝ペルシアを滅亡させるのである。したがってカーディシーヤの勝利は、アラブにとって、ペルシアと中央アジアへ進出するための突破口になった、輝かしい記念碑といえるだろう。そうか、今イラクは「国威の発揚」に熱心なのか……。

やがてイラン・イラク戦争が始まった（一九八〇）。これはイラクの大統領サッダーム・フセインが「一週間で決着をつける」自信のもとに仕掛けた戦争で、当初の威勢のよいバグダードの新聞論調に私は驚かされた。「サッダームにカーディシーヤの勝利を」というのである。

そのうち、新聞は彼に「アル・カーディシーヤ」というニックネームを捧げ、「サッダーム・アル・カーディシーヤの一日」などというコラムをつくり、彼が戦場で兵士と握手している写真などをのせている。こうしたマスコミの姿勢は、イラン・イラク戦争が一三五〇年前のアラブ・ペルシア戦争の再現ととらえられていることを思わせた。

カーディシーヤの戦勝記念館はこのような戦時下で完成した。「みごとな記念館です」とは、その友人の印象だ。企業マンとして、彼はイラクを訪問する機会が多いのである。そして私のために、記念館を飾る連続的な戦場の壁画を基にした一組の絵ハガキと、一冊の案内書とをプレゼントしてくれた。絵ハガキは日本の印刷会社がつくり、一方原画は北朝鮮（朝鮮民主主義人民共和国）の画家が描いたのだそうである。

「イスラームの戦争」の原則

ここに紹介する絵葉書の複製を見れば、この壁画が、四日間にわたるカーディシーヤの戦闘を、史料に忠実に、そして絵巻物風に描いていることが、よくわかる。

また、案内書の方はアラビア語の説明が三四ページ、英語はその要約で一六ページであり、館長の序文を読むと「最初のカーディシーヤ」「今日のカーディシーヤ」という表現が何度も出てくるので、記念館設立の意義がおのずから理解される。「今日のアル・カアカーウは、サアド・イブン・アビ・ワッカースはだれか」(この二人については後述)という館長の英雄待望論は、「戦うイラク」の偽らざる声だろう。

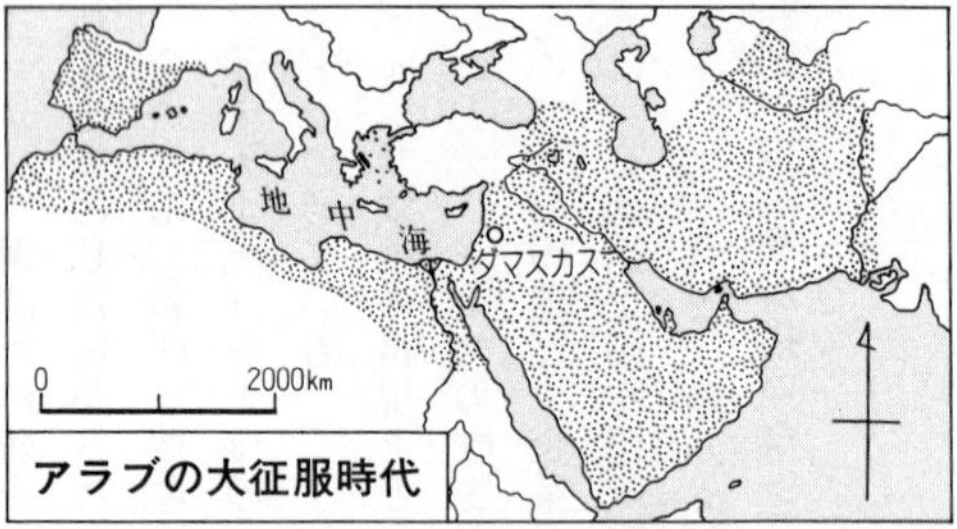

アラブの大征服時代

ただし、本文は、アラビア語の方を見ると、豊富に使った引用文の出典が「注」の形で明示してあり、いちばん多いのがアル・タバリー、次いでイブン・アル・アシールなので、きわめて良心的だ。なぜならアル・タバリー(八三九〜九二三)はバグダードで没したイスラーム世界を代表する歴史家で、その著『諸預言者と諸王の歴史』は年代記の模範とされており、後者イブン・アル・アシール(一一六〇〜一二三四)

もまたイラク人の大歴史家で、イスラーム世界の貴重な通史を書いているからである。私はこの案内書によって、カーディシーヤの戦闘の具体的な内容を初めて知ることができた。

それは大きな収穫だった。というのは、その前年（六三六）、パレスティナのヤルムーク川のほとりで行われた、アラブ軍とビザンツ帝国軍の決戦における、「アッラーの剣」ことハーリドの率いるアラブ軍の圧勝が、これまでの史書では、カーディシーヤの栄光をくもらせているように扱われていたからだ。それは、ビザンツ帝国側の敗北がヨーロッパに与えた衝撃――という西洋史的解釈の方が幅を利かせていたせいかも知れない。皇帝ヘラクレイオスの名せりふもある。敗戦のなかで主将テオドールスが戦死し、全シリアがアラブ軍の手に渡ったとの知らせに接したとき、彼はこう嘆きの言葉をもらしたという。

「シリアよ、さらば。そは敵にとり、何とよき国であろうか！」

しかし、カーディシーヤとヤルムークを比べれば、歴史的な意義からいって、前者の方が重要だろう。伝統あるペルシア帝国がこの一撃によって、坂道を転げ落ちるように瓦解《がかい》していっ

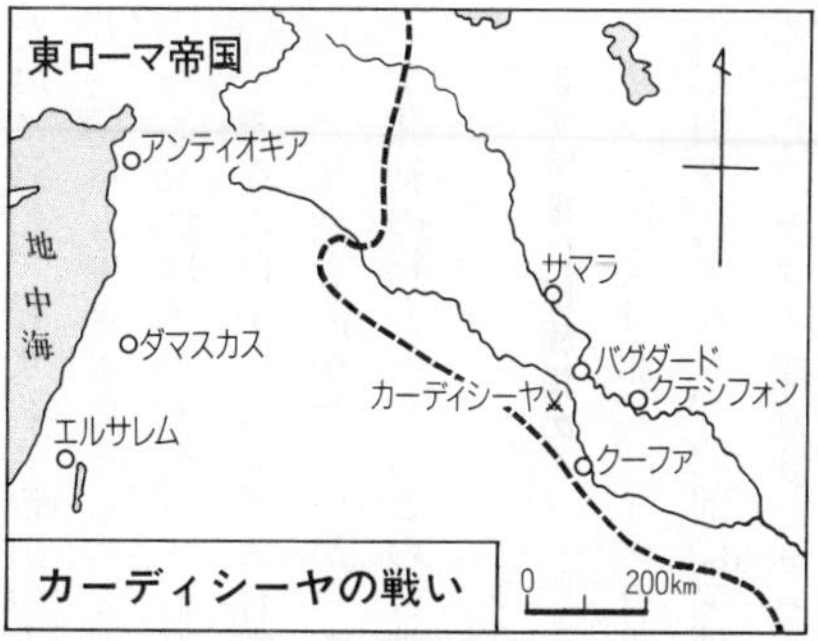

カーディシーヤの戦い

たのに対し、ビザンツ帝国の方は、敗れてもなお、オスマン・トルコにとどめを刺されるまで、八〇〇年も生き永らえることができたからだ。

そこで私はアル・タバリーの年代記と案内書を頼りに、アラブ版関ヶ原の概要を紹介してみたい。そこには中世における合戦の原型、および、「イスラームの戦争」の原則が如実に語られていて、読者を飽かせないからである。

本邦初の紹介となるこの合戦の中身を、どうかじっくりと味わっていただきたい。

まず慎重に情報集め

アラブの大征服は、イスラームの力によるよりは、まず、アラビア半島における人口膨張の圧力が引き金となり、北部に突破口を求めて開始されたと見る方が妥当だろう。すでに六世紀のころからアラブの諸部族はサワード（南メソポタミア地方）やパレスティナへ進出していた。ペルシア攻略は六三三年はじめ、サワード地方の一部を奪取した部族長アル・ムサンナが敵の反撃を受け、初代カリフのアブー・バクルに救いを求めたことがきっかけになる。

アブー・バクルは歴戦の勇将ハーリドを送ったが、間もなくパレスティナ戦線へ移動させた。このためアル・ムサンナはペルシア軍に敗れて陣没する。六三七年、事態の急を知った二代目のカリフ・ウマルは預言者の教友の一人サアド・イブン・アビ・ワッカースを司令官に任じた。彼は無類の勇気、堅実な意思、勝敗に左右されぬ冷静な頭脳の持ち主だったという。

サアドは三万五〇〇〇の兵を率い、ウマルの指示に基づいて、カーディシーヤに布陣した。彼の陣には医師はもちろん、戦利品の分配を担当する法官、兵の戦意を高揚させる聖職者、ペルシア語の通訳、そして記録を司る書記などの「平服組」も含まれていた。彼は戦闘を急がない。スパイを放ち、パトロールを厳にし、捕虜を尋問し、みずから偵察し、地方の名士らの意見を求め、慎重に情報を集めた。

その結果、敵の総大将は宮宰《きゅうさい》ルスタムという大物、軍勢は一〇万を下るまいとわかる。多勢に無勢だ。報告を受けたウマルは、ペルシアの首都クテシフォンにいる皇帝ヤズダギルド三世（在位六三二～六五一）のもとへ、ヌーアマン某を長とする一四人の使節団を送らせる。時間かせぎの作戦だ。この結果アラブ軍は三カ月という貴重な猶予を得ることができた。

使節団、ペルシアの土をもらう

クテシフォンに着いた一行は、生まれて初めて見る大宮殿の威容にも臆せず、任務を全うする。ヌーアマンは次のように述べた。

「われらは過ちのなかで生きていたが、神はわれらをあわれみ、一人の預言者を送られた。われらの同胞で、そのうえもっとも高貴な家柄のおかたである。彼はわれらを異教の闇からまことの教えの光の方へ導かれた。いまや彼は亡くなられたが、この世でわれらの教えに属さぬ者すべてと戦えと遺言された。すなわち、その者らは教えに帰依するか、貢納するか、あるいは武器を取って抵抗するかを選ばなければならぬ。もし教えを信ずれば、われらは汝に王国を残そう。信じたくなければ、貢納せよ。両者のいずれも望まぬとなれば、戦いの用意をせよ」。

これが「イスラームの戦争」の原則なのである。

皇帝は答えた。

「この世にはトルコ人、インド人その他多くの民族がおることを余はこの目で眺めてきたが、汝らほどみすぼらしいのを見たことがないぞ。ネズミやヘビを常食とし、着るものとしてはラクダや羊の毛で織った衣服しかないではないか。去って故国へ戻れ。汝らに必要な食料を配り、汝らが選んだ男を総督にしてつかわそうぞ」。

このとき、使者のひとりムギーラが反論した。

「仰せまことにごもっともである。飢えと赤貧がわれらの過去であった。しかし、神はわれらに預言者を与えられ、その教えによってわれらは強くなった。かくて、いまやアラブの王が、三つの問いに答えよと、汝のもとにわれらをつかわしたのである」。

皇帝は答えた。

「ならば手みやげに、少しだけ土を与えようか。頭にのせて持って帰れ」。

ヤズダギルド三世は一四人の使節全員に土をつめた袋を持たせ、クテシフォンから去らせた。一同はこれらの袋をラクダに積み、サアドのもとに帰り、彼の姿を認めるや叫んだ。「これはペルシアの土。良いしるしです。土はあらゆる富の鍵だから、ペルシアの富はアラブのものに移ったのです！」

縁起をかつぐのは、どこにも見られる風習のようである。

このような折衝が行われていたあいだ、ルスタムは兵一五万を率い、サワード地方の国ざかいに陣取っていた。一方サアドはカーディシーヤにあり、その指揮下のアラブ軍にサワード全域を荒し回らせた。ヤズダギルド皇帝は「行動開始」の命令をルスタムに下す。「将軍は全然助けにきてくれない」という住民の訴えがあったからである。

ルスタムは軍人であると同時に、星の運行についての学問を修め、当代一流の占星術師でもあった。それゆえ彼はペルシア帝国の命運が極まりつつあることを知っており、何か平和的解決の道はないものかと考えていた。そこへ命令が下ったのである。「戦闘においては、せいては事をし損じます」――こう答えた彼はその夜奇妙な夢を見た。天使が空から降りてきてペルシア軍の武器をしばり、使えなくしてしまったのである。

翌日、ルスタムはサアドに一書を送った。「何か欲するところあらばわれにいえ。その望みがかなうよう皇帝に伝える」。しかし、サアドの答えはこうだった。「われらは次のことしか望まない。ムスリムになるか、貢納するか、はたまた戦いに訴えるか」。

不信のやからは分別も何もない

万策尽きたと悟ったルスタムは全軍に出動を命じた。カーディシーヤの平野を走るアティーク川の渡河作戦が始まる。これは東のティグリス、西のユーフラテスを結ぶ水路で、ペルシア軍は夜のうちに無事渡河を終え、象部隊と騎兵隊を前線に、アティーク川を背にしてアラブ軍と対決する形になった。象は総数三三頭で三手に分かれ、中央の白象にはササン朝ペルシア軍の軍旗カーヴァックが翻っている。この旗の行くところペルシア軍は連戦連勝で、そのつど加えられる飾りが旗ざおをにぎやかに取り巻いていた。皇帝ヤズダギルドは出陣に際し、この由緒ある軍旗を宝庫から出して、ルスタムに与えたのであった。

象部隊の装備とはどのようなものか。まず、背中にのせられたかごには射手たちが乗り込んでいる。一方、象は頭から足先まで鎧《よろい》を着込んでおり、長い鼻は固い布地で覆われ、首輪に下げた大きな鈴が歩くたびにからんからんと音を立て、その音だけで相手の馬をおじ気づかせる。また武装した御者が頸部にまたがっていて、敵兵を倒すたびに、くだんの鈴をひときわ高く鳴らして喊声《かんせい》をあげる。この無敵の象部隊をもつペルシア軍を向こうに回し、イスラームの軍勢はどう戦おうとするのだろうか。

このころ、アラブ軍の総大将サアドは腹部と大腿部の腫瘍《しゅよう》が悪化して、馬にも乗れぬ状態だったが、それでも戦場の背後の丘に本営を設けて全軍を統括した。そして戦闘開始の前に部隊長、聖職者、詩人たちに伝令を送って「兵士たちが何ものも恐れぬように激励せよ」と命じ、さらにいった。「私は四度アッラーの御名《みな》を唱える。一回目で戦列を整え、二回目のアッラーで全軍の配置を完了せよ。三回目は戦闘開始の合図だ。そして四回目のアッラーフ・アクバル（神は偉大なり）を合図に総攻撃に移れ」。

サアドはまたコーランの「戦利品の章」を唱えておくことを命じた。それは六二四年の「バドルの戦い」で預言者がムスリムの輝かしい勝利を生み出したときの詩句であり、次のように勝利が要約されている。「もしおまえたちのなかに忍耐強い者が二〇人もいれば二〇〇人に勝てるだろう。一〇〇人いれば一〇〇〇人に勝てよう。不信のやからは分別も何もないのだから」。

3　カーディシーヤの合戦

アッラーフ・アクバル

かくて、戦いが始まったのは正午の祈りの後、三度目のアッラーのときだった。騎兵隊が先駆してペルシア軍の中央を突破しようとする。しかし、ルスタムは一三頭の象を中央に配置して反

カーディシーヤ戦勝記念館の絵ハガキから
（上）**戦いの開始**
（下）**混戦状態の二日目**

攻、サアドは四部隊を送って防御態勢を固めたうえで四度目の合図。「アッラーフ・アクバル！」アラブ軍はヤルムーク川の戦いでもあげたこの「鬨《とき》の声」を高唱して総攻撃に移る。

しかし、冷静なルスタムは、両翼の象部隊を出動させた。「アッラーフ・アクバル」の鬨の声も効果がない。さきの「橋の戦い」という名の戦闘でアラブ軍が惨敗したのも、もとはといえば、部隊長が象の鼻に巻かれてたたきつけられ、果ては踏み殺されてしまったからだった。兵も馬も、このような「動く要塞」をこれまで見たことがなかったのである。

戦況を見守っていたサアドは一部隊長に伝令を送る。「象への攻め方を考えよ」。部隊長は戦術を練って射手に命じた。「御者とかごをねらえ」。一方、騎兵たちは馬が使いものにならないので一〇〇〇騎余りが徒歩になり、剣と槍とで象を襲って首輪を切り、御者を地上に落とそうとする。そのような攻勢に、象はたまらず背中を見せた。一瞬の静寂……。

このとき、ペルシア軍から一人の武士が進み出る。「やあやあ、遠からん者は音にも聞け、わが名はジャーバーン……」。一騎打ちを申し入れたのだ。受けて立ったのは部隊長のひとりアーシム。カリフ・ウマルの息子である。両者は激しく斬り結んだが、やがてアーシムの勝ちとなり、アラブの陣地にどっと喚声が上がる。戦闘は再開され、一進一退を繰り返しているうちに日が暮れて、第一日は終わった。勝敗のゆくえはまだわからない。

この日の戦いを回顧すると、ルスタムの戦術はアラブ軍の両翼を突いて背後に回り、アラブ軍と後方すなわちメディナとの連絡を断とうとするものであった。アラブ軍は数の劣勢にもかかわらず善戦して、その意図を打ち砕いたが、大局的に見ればペルシア側に有利だったようだ。

味方に援軍到着と思わせる

二日目、アラブ軍は健闘して中央突破を試みたが成功せず、多くの死傷者を出した。形勢は依然不利のようで、敵将ルスタムは皇帝に急使を送り、「いまや相手を撃破できる希望がもてる」と述べている。ヤズダギルドは要請にこたえ、二万の援軍を急派した。一方アラブ側は、シリアから六〇〇〇の援軍が来たか来ないかで、アル・タバリーとイブン・アル・アシールの記述に違いがあるのだが、ともあれ、以後の戦闘で活躍するのはカアカーウ・イブン・アムルーで、イブン・アル・アシールによれば、彼はシリアから駆けつけた援軍の先鋒隊長とされている。共通しているのは彼が敵をだますために用いた戦術で、ここでは援軍に触れていないアル・タバリーの記述を中心に筆を進める。

さてカアカーウはサアドの前に進み出ていった。「お見受けしたところ、あなたはとても馬に乗れる状態ではない。あすの戦闘では指揮権を何とぞ私におゆだねください」。サアドはこの申し出を受け入れた。

その夜カアカーウは、ルスタムに援軍がやってくるだろうとみて、一部隊五〇〇〇人を切り離して西のかたシリア街道方面に送り、次のように命じた。「一パラサング（約五キロメートル）ほどのところで停止して、夜明けを待て。戦闘が始まったら姿を現し、援軍到着と相手に思わせるのだ」。もし敵方に援軍が到着したら、それを見ただけでアラブ軍は戦意を喪失してしまうだろう。味方をもだまして援軍到着と思わせなければならない。それはカアカーウの二重の謀略だった。

（上）アラブ軍優位に（三日目）
（下）ついに象部隊を撃破され、ペルシア軍の敗北は決定的となる（四日目）

三日目の朝が来た。戦闘が再開するとき、カアカーウは前線に駒を進めて告示した。「心配するな。きょうは援軍がやってくるぞ」。このとき、偽の援軍が地平に姿を現す。カアカーウはその前衛のところまで疾駆して命じた。「味方にばれないよう、本隊から離れて展開せよ」。本隊のムスリム兵たちは思わず歓喜の鬨の声をあげた。「アッラーフ・アクバル！」そのころ二万の援軍が敵側に到着している。もしカアカーウの謀略がなかったら、ムスリム軍は壊滅していたことだろう。

この日、乱戦のなかで、アラブ軍はついに象部隊の攻略に成功した。矢の斉射で背中のかごに乗っている射手および御者をねらい、ひるむところを槍で象の目を突き、剣で鼻を切るのである。こうして白象を倒したのはカアカーウ自身であった。狂乱した象たちはもう使いものにならない。本営から観戦していたルスタムは、このままでは全面的敗北になってしまうと、馬にまたがって本営を出て激励した。「兵士たちよ、象はいなかったものと思って戦え！」そして作戦を変えて全軍を一三列の横隊に分け、どこから攻められても反撃できる態勢を整えた。こうして初めての夜戦が開始される。

アラブの総大将サアドは、ペルシア軍が隊形を変えたのを見て、次の命令を各部隊長に伝える。「各兵はもとの位置に戻って夜戦に備えよ。歩兵は最前列に、次いで槍と弓部隊。剣で戦う者は徒歩になれ」。そしてとくに右翼と左翼を固めることにした。

夜の闇のなかで両軍が激突する。アラブが体験した最大の夜戦だ。剣戟《けんげき》の響き、肉体のぶつかり合う音、兵士たちの発する叫び――それらを合した地鳴りのようなとどろきが空間を満たす。「とどろきの夜」と後世の史家が名づけたのもうべなるかな。夜は暗くて相手がだれかはっきりしないうえ、サアドもルスタムも味方の状況がつかみ切れず、どちらが優勢かもわからない。この死闘は朝まで続き、アラブ側は六〇〇〇名を失った。

ルスタムの最期

一夜明ければ日ざしは前日とかわらぬ強さで、気温はたちまち上昇する。「辛抱せよ、勝利は忍耐とともにある」とカアカーウは兵士たちを励ましながら命令した。「やつらは暑さに弱いぞ、やつらにひと息もつかせるな」。こうしてアラブ軍の前衛はくさびを打ち込むように敵軍の中央に突入、本隊がその裂け目を広げながら進撃し、ついに中央を突破したのは昼にさしかかるころであった。このとき一陣の砂あらしがアラブ軍の後方から吹いてきて、ペルシア兵たちに目つぶしを食わせる形となる。

ルスタムはアティーク川のほとりの丘に本営を置き、その周りに金貨銀貨の袋を積んだ一〇〇〇頭のラクダを配置した。そして二〇〇〇人の親衛隊がこれを守る。やがて直射日光の激しさに耐えがたくなると、部下たちは本営を囲んで幔幕《まんまく》を張りめぐらした。ところが砂あらしのあおりで、一陣の突風がこの幔幕を吹きとばし、アティーク川に放りこんでしまった。そこでルスタムはカーヴァックの軍旗のある本営に居たたまれず、一頭のラクダのそばに暑さを避けた。

暑熱はますますきびしく、砂塵はますます激しくペルシア兵の視界を遮る。アラブ兵は勢いに乗ってペルシア軍の中央深く突入してくる。ルスタムはラクダのそばから戦局のゆくえを追っていた。左右両翼はまだびくともしていない……。

このとき、ひとりのアラブ兵が——名はヒラール・イブン・アルカマというのだが——たまたまルスタムのラクダのそばに現れて、やみくもに剣を振るった。砂ぼこりのため、ルスタムにはその姿が見えなかった。ところがこのひと振りで、財宝の袋をラクダの背にしばりつけていたひもが切れ、中身が滝のようにルスタムの頭に落下した。激痛が走る。しかし反射的に飛び上がり、アティーク川に身を投げた。泳いでこの危機を脱しよう……。

ヒラールの方も驚いた。ひとりの男があわてふためいて川に飛び込むとは、いったいどうしたことだろう。しかし、逃げた男のあたりにはジャコウと香水の匂いがぷーんとただよっている。気がつけば金ぴかの陣営と、うわさに聞いたカーヴァックの旗。そして中にはだれもいない。

「あ、きゃつこそはルスタム！」

あわてて川べりへ駆けつける。ルスタムは、飛びこんだものの、そのとき足をくじいてしまって泳ごうにも身動きできぬ。ヒラールはしめたとばかりルスタムを引っぱり上げて首を斬り、槍先に刺した。そして高らかに叫ぶ。

「敵の御大将ルスタム殿を討ち取ったり……」。

ペルシア軍の敗北

ムスリム側からどっとあがる歓声。ペルシア兵は総大将の首級を見て動揺、右翼も左翼も崩れ出す。サアドはカアカーウとズフラの二将に追跡を命じ、他の部隊長には別命を下した。すなわちペルシア兵の死体をはぎ、彼らの携行品、武器、およびすべての獲物を収集することである。

さて、ヒラールがルスタムの首級をサアドの前に持参したとき、二人のあいだにこんな会話が交わされた。

「死体をどこに置いてきたのか」。

「ラクダのそばです」。

「捜してこい。彼が着ていた衣服はなんじのものだ」。

「でも、ぼろぼろになった服ですが」。

「よいから持って参れ」。

戻ったヒラールは同僚の手を借りてルスタムの死体を引きずってきた。サアドはその服をヒラールに与えたのだが、調べてみると、ふところには一〇〇〇ディナール（金貨）を入れた財布があり、貴石で飾った金糸織りの帯は七万ディルハム（銀貨）の値打ちがあった。

その夜サアドは、カーディシーヤの勝利とルスタムの死を告げるカリフ・ウマルあての報告書をしたため、それをヒラールに持たせた。この戦いでペルシア軍は一〇万の死者を出したという。

カーディシーヤの合戦の推移を見ればわかるように、戦場で使われた主な武器は剣と盾、投げ槍と弓矢である。アラブはこれらの武器を巧みに戦場であやつった。身につけたのは軽い鎧程度である。剣はアラブ側には多くの種類があり、槍は象部隊に対しては——私（牟田口）は記録どおりに紹介するのだが——騎兵が七メートル、歩兵は三メートルのもので戦った。またアラブは弓矢を上手につくることで知られているうえに、ペルシア兵が「アラブの矢はどんな盾でも打ち抜いてしまう」と恐れたほどの使い手で、この弓矢こそアラブの攻撃力の主体だった。

最後に、ヤズダギルド三世の末路をしるしておこう。

カーディシーヤの戦いから四年後の六四一年、ニハーワンドの戦いに完敗してササン朝ペルシアの滅亡を見たこの悲劇の皇帝は、中央アジアに逃れて再起を図り、唐にまで救いを求めたが空しく、一〇年後、孤立無援のなかで暗殺された。犯人は立派な衣装に目がくらんだ粉屋のおやじで、一夜の宿を求めて熟睡中の落人《おちうど》を襲ったのである。

一子ペーローズは長安で亡命の一生を終えた。

4　名将たちの運命

合戦前夜に受けた衝撃——ハーリドの場合

イスラーム初期の勇将たちの生涯を眺めると、ハーリド・イブヌル・ワリード（六四二ころ没）とアムル・イブヌル・アース（六六三ころ没）の一生はまことに対照的だ。六二九年、ともにイスラームに改宗した二人のうちのハーリドは、ムハンマドから「アッラーの剣」と呼ばれたほどの猛将で、ヤルムークの合戦（六三六）でビザンツ軍を大敗させたが、ウマルに解任されて失意の生涯を終える。これに対し、アムルは政界を巧みに泳いでムアーウィヤ（在位六六一～六八〇）のウマイヤ朝創設を助け、みずから征服したエジプトの総督として生涯を全うした。

二人の差は、ハーリドが勇将であったのに対し、アムルは知将であったことに求められよう。後者は分をわきまえていたのである。カーディシーヤの勝者サアドは後者に属するといえようか。サアドはクテシフォンの征服後間もなく解任され、以来返り咲きと解任を繰り返したが、最後は政界から引退し、ウマイヤ朝の成立を見たうえで死んだ（六七〇ころ）。

ここで、ハーリドの生涯にもう少し光を当ててみよう。彼は預言者の死後、アブー・バクルの全面的信頼を受けてアラビア全土に起こった反乱を鎮圧し、次はメソポタミア方面軍司令官としてアル・ムサンナの応援に出かけたが、順調に進んだ作戦なかばでパレスティナへの転進を命じられた。その命令書を一読したとき、ハーリドはウマルの意思を感じ取ったという。「ウマルのやつ、おれの成功をねたみおるな」。

後事をアル・ムサンナに託し、九〇〇〇の兵を率いてシリア砂漠を横断した彼は、その軍事的天才によってダマスカスを落とし、イスラームの戦略の原則に基づいて市民の社会的地位を保証した。

しかし、ビザンツの大軍接近の報により、ハーリドは全軍をヤルムーク川のほとりに集結させた。その数三万六〇〇〇で、彼はアムルに兵一万を与えて右翼を、ムアーウィヤの兄ヤジードに同じく一万を与えて左翼を守らせ、中央は自分とアブー・ウバイダで固めた。そのとき急使が到着してアブー・バクルの重態を告げる。

部隊の動揺を見て取ったハーリドは「カリフが病気だからといってくじけるな、イスラームの大義のために戦え」と激励、やがて戦機が熟し、いままさに戦いが始まろうとしているとき、第二の急使。「病気は快方に向かっている。援軍の到着はすぐ間近」と、急使は味方を安心させたうえでハーリドに近づき、そっと耳もとでささやいた。

「アブー・バクルは死んだ」「して、後継者は？」「ウマル」「ああ、おれは首だ！」「そのとおりですぞ」。

ハーリドは馬を降り、しばらく神に祈った。合戦がまさに始まろうとしているとき、これほどの衝撃を受けた総大将は、ほかに例があるまい。彼は超人的な努力で自制したうえ、何ごともなかったように攻撃命令を出し、そして大勝した。

戦勝に沸く本営で、そして戦利品の山のなかで、彼は一同に事実を公表、自分の後任は同僚のアブー・ウバイダであると告げた。一同の驚き。「おお、ハーリド、あなたは何と立派な人か。もしほかの武将だったら戦争ができず、イスラームはシリアを制することができなかったでしょう……」（アル・タバリーによる）。ハーリドはひと晩の猶予をアブー・ウバイダに求め、同行していた最愛の妹ファーティマの助言を求めた。妹はいう。「ウマルは策略にたけているから反抗しても無理で、いつかは必ず滅ぼされます」。

ホムスにある「アッラーの剣」ことハーリドのモスク

ハーリドは助言に従い、ウマルの命令どおり財産の半分をアブー・ウバイダに委ね、シリアの一都市ホムスに隠退した。歴史に残る栄光の絶頂から失意のどん底へ——彼の死はそれから数年後のことであった。公平無私といわれるウマルがハーリドを拒否したのは、その「偽証」のためといわれる。す

カイロのアムル・モスク　アラビア以外で最初のモスクである。柱頭はグレコ・ロマン様式

なわち、ハーリドはマリク某なる男をムスリムと知りつつ殺し、「あれは非ムスリムだった」と、虚偽の報告をアブー・バクルに行ったというのである。ウマルがアブー・ウバイダに送ったハーリドの解任理由書には、このことが明記されている。「もし彼が兵士の前でこの偽証を公表したら現職に留め、さもなければ解任する……」。

以前、私はダマスカスから北上してパルミラを訪ねる際、ホムスで小休止した。そのとき、広い公園の向こう側に銀色のドームをいただく大モスク（イスラーム教寺院）を認めたので、通りがかった若い女性に尋ねたら、「ハーリドのモスク」という言葉が返ってきたのだ。そこには彼の墓もある。美人の産地として有名なホムスの市民は、ハーリドを彼らの英雄として、今でもちゃんと記憶に留めているのである。それは私にとって、小さいながらも貴重な発見であった。

状況に応じた判断力――アムルの場合

アブー・バクルからフィラスティン（パレスティナ）の領有を約束されていたアムル・イブヌ

ル・アースは六三七年、エルサレムを攻略してウマルを迎え入れた。今も残る「黄金のドーム」こと「ウマルのモスク」の礎はこのとき置かれたものである。彼はウマルのためらいを押し切ってエジプトを征服しようとし、国境に着いたとき、ウマルの急使から命令書を受けた。それを握りつぶして国境を越え、開いてみると案の定、次の文句が書かれていた。

「国境の手前でこの書が届いたら引き返せ。越えた後だったら、アッラーの加護に頼れ」。

アムルの野心と、カリフの命令書をも状況に応じて無視してしまう判断力が、シリアよりもはるかに豊かな国、エジプトの征服を実現させたのである。ビザンツ帝国はまたも敗れた。六四二年までに、アムルは現在のカイロ地区とアレクサンドリアを攻略し、軍営都市フスタートを建設した。これがカイロの起こりで、コプト（現地のキリスト教徒）芸術を取り入れたエジプト最古のモスクが、彼の名を冠して残っている。エジプトのアラブ化はこうして始まる。

ただし、この征服の後、アムルはハーリドと同じく、ウマルに解任されてしまうのであるが、じっと時を待つ。このような事実だけを並べると、ウマルは名将の功績をねたんでばかりいたように見えるが、実は彼こそはイスラーム国家の真の建設者で、ウンマの拡大と統一のために一身を捧げたといってよい。彼はみずからがつくり出した一大帝国の元首だったが、カリフになった後も以前と同じ粗衣粗食でとおし、私利をたくわえることは一切なかった。

そして、ウマルの次のカリフ、ウスマーンの死後、第四代カリフ、アリーとシリア総督ムアーウィヤが対立したとき、アムルはその政権争いに加わって後者を助け、巧みな謀略でアリーを敗北に導く。

温厚《ヒルム》さを備えた政治家——ムアーウィヤの場合

ムアーウィヤ（六八〇没）は、ウスマーンと同じく、メッカの名家ウマイヤ家に属し、長兄のヤジードに連れられ、旗手としてヤルムークの合戦に加わったが、その後ハーリドの後任アブー・ウバイダや長兄が疫病のため倒れたので、ウスマーンにより、シリア総督に任じられたのであった。

アムルが味方につかなければ、ムアーウィヤはその後九〇年間続くウマイヤ朝を樹立できなかったであろう。しかし筆者は、この歴戦の知将を使いこなしたムアーウィヤの政治力を評価する。事実、彼はアムルのほか、イラクの不穏な軍営都市バスラとクーファを治めたジヤード、およびアル・ムギーラという抜群の協力者を持った。ウマイヤ朝の基礎はこの三人によって固められたといってよい。歴史家は、ムアーウィヤも含めたこの四人を「アラブ・ムスリムの政治的天才」と呼んでいるそうだ。

レバノン系のアメリカの史家フィリップ・K・ヒッティは、古典的名著『アラブの歴史』のなかで、ムアーウィヤについて簡潔に指摘する。

「ムアーウィヤは、おそらく他のあらゆるカリフが及ばないほど高度な政治感覚を身につけていた」。

アラブの歴史家は、彼の最高の資性はヒルム（温厚さ）だったと語っている。ヒルムとは、絶対に必要なときだけ武力に訴え、その他は常に平和的手段を用いるという、比類のない能力を指す。アラブの征服の時代に、このような武将がいたのである。

次の有名な言葉は、彼のヒルムを示す最良の表現であろう。

「私の笞《むち》で足るときは剣は用いないし、私の舌で足るときは笞も使わない。一本の毛が私と家臣とのあいだを結んでいるときはそれを切らせない。かれらが引っ張れば私が緩め、かれらが緩めれば私が引っ張る」。

謀略では勝ったが——クタイバの場合

ここで、中央アジアに目を転じよう。時はウマイヤ朝の第六代カリフ、ワリード一世の時代で、このときアラブ帝国は中央アジアからイベリア半島まで、史上空前の規模に広がった。無類の戦略家といわれるホラーサーン総督クタイバ・イブン・ムスリム（六七〇ころ〜七一五）は、帝国の東方、すなわち中央アジアの征服者で、彼にまつわる逸話は多い。ここでは一例として、謀略の話を紹介しよう。

謀略の目的は相手をペテンにかけて勝つことである。成功すれば、最小限の犠牲で相手を倒すことができる。背徳行為かも知れないが、戦時にあっては、だまされて負ける方がばかなのだ。ムアーウィヤも「舌で足るときは笞も使わない」といっているではないか。

さて、イベリア半島でアラブ軍の征服が進んでいた七一二年、クタイバはサマルカンドを包囲した。しかし、ゾロアスター教徒の守りは固く、ある日敵将が一書を寄越す。「われらの城はヤーラーンというお方によってしか落とすことができぬ、と貴い御本に書いてある。いくら攻めても益ないことだ」。

「アッラーフ・アクバル！」とクタイバは叫んだ。「ヤーラーンとはわしのことじゃ」。

ペルシア語でヤーラーンとは「ラクダの鞍《くら》」を指す。そしてクタイバとは、アラビア語で同じ意味だったのだ。

しかし、アラブ軍は攻めあぐみ、士気に緩みが出る。そこでクタイバは一計を案じた。多数のスパイを放ち、「クタイバが息子の婚礼のための大披露宴を開く」とひそかに触れ回らせて、ワイン一〇〇〇樽を発注し、地方一帯から抜かりなく楽師も集めた。

「当夜は無礼講だから、その果てに兵士は白川夜船ですよ」――そういうスパイの情報を真に受けて、深夜すぎ、城内から一〇〇〇人の騎兵隊が奇襲をかけようと出撃したが、クタイバ自身が指揮するアラブ軍のはさみ撃ちにあって壊滅、アラブ兵は倒した敵兵の服装に着替え、敵の武器、旗指物《はたさしもの》を持って「帰城」した。守備隊は奇襲成功と思って城門を開く。こうしてアラブ軍は、難なくサマルカンドを手に入れたのであった。

しかし、彼の栄光は七一五年、ムアーウィヤに次ぎもっとも有能なカリフと、すでに当時からいわれていたワリードの死とともに、急速に色あせる。彼は自分のボスだったイラク総督ハッジャージュに従い、ワリードの息子を次期カリフに推していたのだが、ハッジャージュはワリードの死の前年に病に倒れてしまい、結局ワリードの後を継いだのは弟のスライマーンだった。新カリフはクタイバの政敵をイラク総督に据える。やがてこの政敵は彼の職を奪い、ホラーサーン総督も兼務するだろう。熟慮の末、彼は反乱に踏み切る。

この賭けは、しかし、裏目に出た。クタイバとスライマーンの駆け引きでは、謀略の点で後者の方が上だった。サマルカンドに到着したスライマーンの使者は、兵士の勇気をたたえ、カリフ即位の祝儀として、兵士の給料の倍増、および、故郷に帰りたい者は帰す、との二大特典を発表した。どっとあがる歓声……。これで勝負は決まった。

「ちがう……。これは、わしからおまえたちを引き離そうとする謀略だ！」

クタイバの叫びは空しかった。兵士は戦意を失ってしまったのである。さしもの猛将クタイバも、最後は一枚の舌に勝てなかった。中央アジアを征服し、その地にイスラームを初めて広めたクタイバの最期は、その地でみずからの命を絶つことであった。

5　戦争と文明

アラブ帝国からイスラーム帝国へ

七五〇年、ホラーサーンに起こった反乱を引き金にアッバース家が決起し、ウマイヤ朝を倒す。そしてアッバース朝（七五〇～一二五八）の第二代カリフ、アル・マンスール（在位七五四～七七五）は、ティグリス川のほとり、バグダードに新都を築き、マディーナ・アッ・サラームと命名した。平安の都という意味だ。

メディナ（正統カリフ時代）からダマスカス（ウマイヤ朝）へ、そして今度はバグダード（アッバース朝）へ、帝国の首都は三たび移った。この三つを比べながら新王朝の特色を眺めると、そこに見られるのは、アラブ帝国からイスラーム帝国への明らかな移行だ。これをムスリム帝国と呼ぶ史家もいる。アラビア半島から北方へ、ビザンツ文化圏に移動したウマイヤ朝は、アラブ貴族優先の社会だった。そのような異民族支配制度に対する新ムスリム《マワーリー》（イラン人を中心とする非アラブ）の反乱が、「アッバース革命」の呼び水になる。

そして、長年の混血のあいだにアラブの血は薄められ、アッバース朝の成立後はアラブの特権も廃止されて、帝国のイスラーム化が進行する。同朝最初の一〇〇年はまさにイスラーム帝国の時代であり、それは同朝の黄金時代と重なり合う。主役を演じたのはペルシア（イラン）人であった。

バグダード・ルネサンス

第七代カリフのアル・マアムーン（在位八一三〜八三三）はこの黄金時代の中心に位置する。その露払い役をつとめたともいえるのが代々宰相を出したペルシア系の名門バルマク家だ。アル・マアムーン自身も血の半分はイラン人だった。父は『千一夜物語』にひんぱんに登場するカリフ、ハールーン・アル・ラシードで、母はハーレムに仕えたイラン人奴隷。彼は幼時はイラン人の顧問官に訓育され、長じてからは父が死ぬまで、東方ホラーサーンの総督だった。主な側近はイラン人である。

この黄金時代には、内乱もあり、ビザンツ帝国との戦争もあって、ハールーン、アル・マアムーン父子も陣没するのであるが、それにもかかわらず帝国の首都は東西貿易の接点として未聞の繁栄をとげ、都市文化が発達、バルマク家の努力が実って学術の一大中心地になった。アル・マアムーンはこのような基盤の上に立つのにもっともふさわしい開明君主であった。

彼はアリストテレスの著作から深い影響を受け、そのためある夜、この哲学者が夢まくらに現れて、「理性と聖法とのあいだには本質的な差がない」と保証したという話も、まことしやかに伝わっている。

この、合理主義者のカリフのもとで、「文明の移転」という大現象が起こったのである。ギリシアの諸学およびヘレニズム、イラン、インドなど、先発諸文明の主だった文献が片はしからアラビア語に翻訳されて「再生」した。これをバグダード・ルネサンスと呼ぼうか。その再生の場を提供したのが八三〇年、アル・マアムーンが開設した「知恵の館」であった。

これは図書館、研究所、翻訳センターなどの施設をもつ総合文化研究所であり、カリフ自身しばしば訪れて、学者たちの討議を主宰したという。そのころは、中国の製紙技術を導入した工場がバグダードにもできていたから、製紙業はこのルネサンス活動に大いに貢献したことであろう。

このような知的運動の担い手たちは、単なる翻訳家、祖述家にとどまらなかったから、これらの諸文明を融合してわがものとし、さらに維持し、独自のものに発展させた。これをわれわれはイスラーム文明と呼ぶが、言語表現がすべてアラビア語で行われたことから、アラビア文明とする者もいる。

こうした諸文明のるつぼのなかで、早くもアル・フワーリズミー、アル・キンディー（八〇一ころ～八六六ころ、ラテン名アルキンドゥス）、アル・ファーラービー（八七〇ころ～九五〇、ラテン名アルファラビウス）、イブン・スィーナーのような百科全書派的な大天才が輩出する。

彼らのなかにはアラブのほか、中央アジアの出身者もいればイラン人もいたし、キリスト教徒もいればゾロアスター教徒もいた。アッバース朝の機構はムスリムによる非ムスリム支配が原則だったから、この原則のもとで、才能ある者は人種、宗教の別なく、自由に活動できたのである。

帝国の分裂

アッバース朝は誕生のときから分裂の要素を内在していた。版図が広すぎたのである。口火を切ったのはスペインだ。アッバース軍の追及を辛くもかわしたアブドゥル・ラフマーン一世は、コルドバを首都にしてウマイヤ朝を再建（在位七五六〜七八八）、のちアブドゥル・ラフマーン三世はカリフを名乗る。この後ウマイヤ朝は一〇三一年まで続いた。

次はチュニジアである。イラン系の将軍イブラーヒーム・イブン・アグラブが、バグダードのカリフ・ハールーンの宗主権を認めるとの条件で、事実上の独立を達成した。これがアグラブ朝（八〇〇〜九〇九）で、対岸のシチリア島まで征服した。

しかし、この王朝は、現地の反抗勢力がシリアから招いたウバイドッラーによって倒される。彼は第四代正統カリフ、アリーとその妻ファーティマ（預言者ムハンマドの娘）の子孫と称した。これがファーティマ朝（九〇九〜一一七一）で、同朝はエジプトを征服してこの新領土に本拠を移し、フスタートの北隣に首都アル・カーヒラを建設した。これが現在のカイロ（アル・カーヒラの訛り）の旧市街に当たる。シーア派に属する同朝の君主はバグダードに対抗してカリフを称したから、一〇世紀において、イスラーム世界には三つのカリフ朝が鼎立《ていりつ》したことになる。

このような分極化は、バグダードの政治的弱体化を如実に物語るものだが、目をアジアに移して微視的に眺めると、アル・マアムーンの甥で第一〇代カリフのアル・ムタワッキル（在位八四七〜八六一）以降は、もはやカリフに人材が現れず、「信徒の長」はイラン系、あるいはトルコ系武力集団の操り人形にすぎなくなる。

彼らの長はカリフを「隠れみの」にして独自の地方政権を確立し、自己の支配権の拡大に努めたから、西アジアから中央アジアの奥深く、さらにはインド北部へと、イスラーム世界が広がった。矛盾するように見えるが、帝国の統治権の衰退が、イスラーム世界の拡大という逆説的な現象を生んだのである。アッバース朝が滅んでも、この傾向は衰えない。時代はずっと下るが、サマルカンドを首都にしたモンゴル系のティムール帝国と、ビザンツ帝国を滅ぼしたオスマン・トルコ帝国の登場は、この文脈でとらえられよう。

スペインとシチリア

このような現象は、同時にイスラーム文明の分極化と、各極を中心とする独自の発展をうながした。東西交渉の面からみれば、もっとも重要な役割を果たしたのは、スペインとシチリアの二カ所で、二〇〇年にも及ぶ十字軍戦争は、文化史的な意義をほとんどもたない。

中央アジアから北アフリカを経てスペインまで広がるイスラーム世界では、ムスリムでさえあれば旅行の自由が保証された。コルドバの宮廷に仕えたバグダードのジルヤーブ、あるいはスペインの人イブン・ジュバイル、モロッコの人イブン・バットゥータの大旅行はそのみごとな例で、このような自由は知識の交流・伝播にはかり知れぬ貢献をもたらした。

この二地域でも、ムスリムとキリスト教徒とのあいだで戦争があった。イベリア半島では、キリスト教徒のいうレコンキスタ（国土回復戦争）で、それはやっと一四九二年、グラナダの陥落で完成した。一方シチリアはそれより四〇〇年前、アラブによる二五〇年の統治の末に、ノルマン人によって征服されている。

しかし、この長い期間、戦闘はしばしば行われたとはいえ、文化交流の道は断絶することがなかった。水が高きから低きへ流れるように、文明は南のイスラーム圏から北のキリスト教圏へゆるやかに移動していった。かつてバグダードで先進文明の文献がアラビア語に翻訳されたように、今度はスペインとシチリアで、アラビア語の文献が、キリスト教徒の先覚者たちによって、ラテン語に翻訳された。

ヨーロッパにおける、自然科学を中心にした一二世紀ルネサンス、人文科学を中心にした一四～一六世紀のルネサンスは、このような過程を経たうえで実現した。レオナルド・ダ・ヴィンチは、ヨーロッパが突然生んだ「万能の天才」ではなかった。ダンテさえも、彼の「地獄」の発想は、コーランに負うているといわれるのである。

ムスリム・スペインの天才を一人挙げてみよう。その名はコルドバ生まれのイブン・ルシュド。アリストテレス思想の原像の再現に努力し、西ヨーロッパの中世思想に絶大な影響を与えた哲学者であったが、彼は同時に、幾何学者として球面三角法についてのすぐれた著書を出し、天文学者としては日食の観測を行い、医師としては解毒剤を調合し、化学者としては硫酸の分解特性を発見し、物理学者としてはエネルギーの概念を予測し、磁気に関する初めての実験を行った。しかも彼は農業技術者としてアンダルシアの灌漑技術を改良し、音楽学者としてはヨーロッパの音楽界に深い影響を与えた論文を書き、余暇には作詩にふけったという。

シチリアでは、地理学者アル・イドリーシー(一一〇〇ころ〜一一六五ころ)を挙げよう。モロッコに生まれ、コルドバで学んだ彼は、当時におけるムスリムの既知の世界をくまなく旅し、のちシチリアのノルマン王朝に厚遇されて仕えた。後世に残る彼の業績は、地球を円形としてとらえ、七〇枚合成による世界地図をつくったことで、今から見ればだいぶ変形があっておかしいものの、以後何世紀にもわたり、西ヨーロッパにおける地図作成の基本になった。

シチリアで作成された、この初めての世界地図に、日本は「ワークワーク」として描きこまれている。当時の世界像に基づく位置づけの奇妙さにあきれるばかりだが、「ワークワーク」とは、日本人がいう「わが国」という発音を、中国人が「倭国」として広めた結果らしい。

第四話　「蛮族」を迎え撃つ「聖戦《ジハード》」

――反十字軍の系譜

プロローグ　ムスリム世界は麻のごとく乱れ……

ムスリムは十字軍を侵略者として受けとめた。西欧側にどれほど宗教的、政治的、経済的、あるいは社会的理由があったにせよ、ムスリム側にとってみれば、十字軍とは「不信心のやから」による押し込み強盗の大集団であり、そのことは一〇九九年、エルサレムで略奪・殺人の限りを尽くしたことを誇らしげに述べた、十字軍自身の記録によっても明らかだ。第一回十字軍を沸き立たせた宗教的高揚など、ムスリムにとっては迷惑千万この上ない。彼らはこの侵略に宗教的動機があったなどとは露知らず、ビザンツ軍の同類程度の認識しかなかった。

第一回十字軍の成功は、彼らの強さよりも、侵略された方の弱さが原因だった。中国流にいえば、天下は麻のごとく乱れていた。ムスリムは完全に虚をつかれたのである。

当時のオリエントのイスラーム世界は、巨視的にみると、バグダードとカイロに分極化していた。アッバース朝とファーティマ朝の二つのカリフ帝国である。前者は正統イスラームのスンナ派に属し、後者はこれに対抗するシーア派で、エルサレムは両者の勢力の境界線上にあった（十字軍がアナトリア半島から海岸沿いに南下してきたときの混乱に乗じ、ファーティマ朝はスンナ派の手からエルサレムを奪取している）。

次にアッバース朝に視点を合わせると、カリフ制とスルタン制という二重構造が浮かび上がる。中央アジアでイスラーム化したトルクメン族（トルコ系）の族長セルジュークの子孫が南下して、イランを征服した後、一〇五五年にバグダードに入って、カリフから史上初めてスルタンの称号を与えられた。

これがセルジューク朝（一〇三七～一一九四）で、当時のカリフは政治的な威信をとうに失っていたから、同朝はカリフを守り立て、スンナの教義を広める任務を帯びた東方イスラーム世界の支配者となり、その版図をビザンツ帝国、ファーティマ帝国との境界まで広げる。壊滅同然のイスラームとカリフの歴史は、ここに新たな高揚期を迎えたのであったが、十字軍のやってくる直前の一〇九二年、黄金時代の担い手だったスルタンが死ぬと、ルーム朝（アナトリア）、シリア朝、イラン朝の三つに分裂、たちまち弱体化してしまった。

この分裂は跡目相続の問題から生ずるお家騒動であり、さらに、この三王朝の内部でも骨肉相食《は》む相続争いが起こる。シリア朝を例にとれば、ダマスカスとアレッポが戦っていた。そのうえ、支配者のトルコ人に対するアラブ人の反抗があり、また、イスラーム社会の底辺では、昔ながらの部族間の争いがある。こうして、強大な統率力が失われ、皆が皆、私利私欲の抗争に明け暮れていたとき、闘争圏の外部から、まったく異質な戦闘集団が突入してきた。これが十字軍で、内憂に外患が加わったことになる。

1　十字軍は侵略者

ウソの十字軍展開

現在のトルコ東部、シリア、レバノン、ヨルダン、イスラエル（パレスティナ）には、土着のキリスト教徒が少数派として存在していた。トルコ東部に住んでいたのはアルメニア人だが、他は全部アラブ人である。彼ら現地のキリスト教徒は、聖地エルサレムがムスリムの支配下にあったからといって、ローマ教皇に助けを求めたことは一度もない。武力援助を求めたのは実はビザンツ皇帝だったのだが、それはアナトリアの帝国領に脅威を与えているセルジューク朝と戦うための要請にすぎなかった。つまり皇帝の指揮権下の傭兵隊を募ったのである。

ただし、そのとき皇帝は、「聖地で迫害が起こっている」というウソをついた。それは、キリスト教徒としての連帯感を呼び起こし、かつ、あおるための言葉の綾にすぎなかったが、この

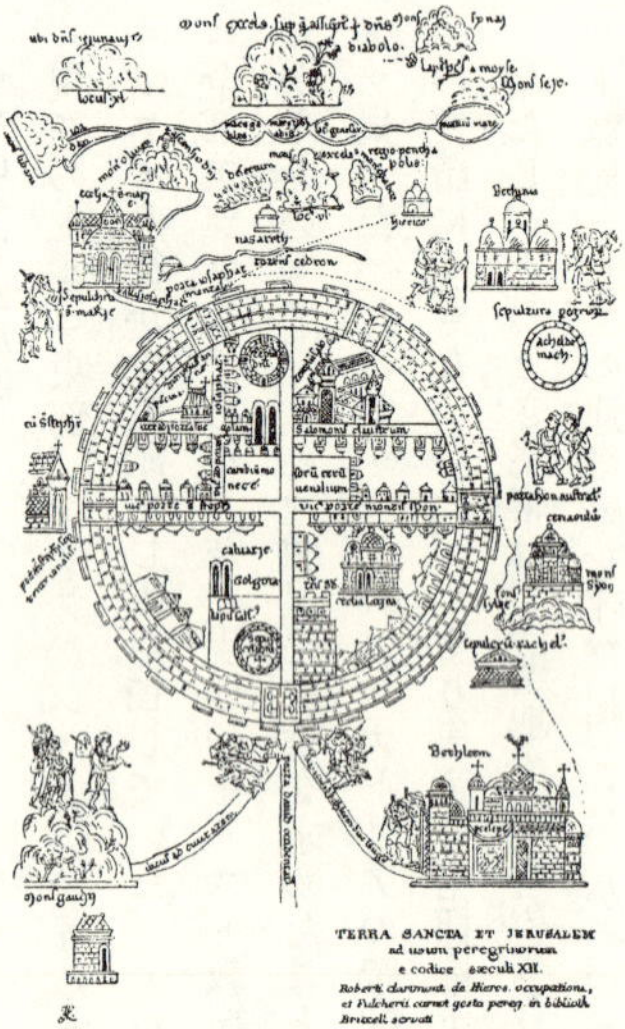

エルサレムの古地図　12世紀のもの

「綾」は受け手の心理のなかで一人立ちし、みるまに巨大化して一〇九五年一一月に、クレルモン公会議における教皇ウルバヌス二世の歴史的な呼びかけに発展、第一回十字軍の出陣という異常現象を生む。

もちろん、飛躍のしすぎはあったにせよ、西欧世界には聖地巡礼という長い伝統があった。またムスリムに対する「正義の戦い」の理論もある。このような下地があったからこそ、ビザンツ帝国側の要請は、皇帝の真意とは別のところで連鎖反応を起こすようになったのだ。すなわち十字軍思想の爆発的展開であるが、そのとき、ビザンツとイスラームという二つの世界についての教皇の無知が、この爆発の直接の火つけ役になった。

そして爆発現象は、歴史的に見てイスラーム世界とはまったく無縁の地である北フランスやドイツなど、旧フランク王国の領土で起こっている。第一回十字軍を率いたのは、これらの地域の王侯たちであった。現地について無知だったからこそ、東方遠征即聖地奪回と短絡した。ドイツの民衆十字軍などはさらに飛躍して、出陣の血祭りにと、罪のないユダヤ人たちを集団虐殺している。以後現代まで続くユダヤ人迫害運動のはしりである。

西アジアのムスリムは、このようないきさつを知る由もなかったから、十字軍の襲来は寝耳に水の事件となる。最大の被害者は、少なくとも一世紀近くのあいだ平和に暮らしていた聖地エルサレムの住民だった。一〇九九年七月一五日、聖地では「勝利者でさえも恐怖と嫌悪の情にとらわれた」(同時代の西欧の史料)ほどの惨劇が起こったのだから……。

「十字軍」ではなく「蛮族フランク」

ところで、この侵略の集団をムスリムは何と呼んだか。一〇九六年から一二九一年に至る断続的な戦争を通じ、「十字軍」という呼び名が西欧の史料に初めて現れるのは、末期に近い一二〇〇年代の半ば以後のことであるという。したがって、当時のムスリム側の史料に「十字軍」なる表現が存在するわけがない。

当然のことながら、ビザンツ人だって、そんな言葉は知らなかった。彼らは何世紀にもわたり、東方の諸国と戦ってきたが、十字軍のような聖戦意識をもってはいなかった。彼らの総大主教は、異教徒と戦って死んだ兵士たちに「殉教者」の栄誉を与えることさえ拒否した。異教徒との戦いを義務とし、戦死の場合は赦免が得られるとアジったウルバヌス二世とは、何たる考えの相違だろう。

シリアの十字軍諸国（1140年ころ）

アラブは、すでにウマイヤ朝の時代から、西欧人を一般にフィランジ、またはイフランジと呼んでいた。今でもそうである（エジプトでは語尾の「ジ」が「ギ」になる）。これはフランク王国を建設したゲルマンの一支族フランク人のことで、ビザンツ側の使いかたを借りたのだ。コンスタンティノープルのギリシア人たちは西欧人をフランクと呼んでいたからである。

そこで、対十字軍戦争は、ムスリムにとっては対フランク戦争となり、彼らの来襲は「フランク人の侵略」という言葉で表現されている。両者の知的・物質的水準を比べてみるとムスリムの方が圧倒的に高かったから、それは文句なしに「蛮族の侵入」なのであった。

弱みにつけこんで、十字軍は北からエデサ伯領、アンティオキア公領、トリポリ伯領という三小国とエルサレム王国を樹立した。三諸侯国はエルサレム王の配下となる。このように、教会国家ではなく、フランク人の世俗国家としての体制が整えられているとき、バグダードは何をしていたか。アッバース朝のカリフも、セルジューク朝本家のスルタンも、「それは対岸の火事だ」

として関心を払わず、口先ぐらいの支援しか与えなかった。

反撃はやっと五〇年後に

もちろん、ルーム、シリアの各セルジュークは受けて立ち、フランク軍と戦って、時には大敗させたこともある。しかし、それはあくまでも受け身の戦いであって、「異教徒との戦い」という、相手の宗教的エネルギーに対応するものではなかった。ムスリムが「反十字軍」的認識のもとに反撃を行うのは、やっと半世紀後のことにすぎない（しかしこれは、たちまち第二回十字軍を招くことになる）。

このときを第一期とし、以後なおも一五〇年続く抗争の歴史を追ってみると、反撃の時代がさらに二つあることがわかる。第一回十字軍が婦女子を含む大虐殺を行って文句なしの武力占領をした以上、被占領者側が反十字軍闘争を行うのは当然のことであるが、その反撃を「ムスリムの勝利」にまで高めるには、「聖戦（ジハード）」の名のもと、諸勢力を大同団結させることのできる、強力な指導者の存在が必要だった。反撃の時代を三期に分けるのは、このような立場からである。ただし、奇妙なことに、各時期を代表する指導者たちは皆が皆、アラブではなかった。

第一期を飾るのは、モスルとアレッポを支配したトルコ人ザンギー・イブン・アクソンコル（在位一一二七〜四六）。アクソンコルとは「白い鷹」という意味だ。続いてムスリム・シリアの支配者になった息子のヌールッディーン（在位一一四六〜七四）。この「親子鷹」は上メソポタミアからシリアにかけ、それぞれ俗にザンギー朝、ヌール朝という遺産を残す。

第二期の主人公はのちにサラーフッディーンと呼ばれることになるクルド人ユースフ・イブン・アイユーブ（一一三八〜九三）。彼は一一七一年、エジプトのファーティマ朝を倒し、その後一二五〇年まで続くアイユーブ朝を創設、「親子鷹」の遺産を受け継いで、フランク諸国包囲の輪を完成する。西欧はこの英雄の称号をなまってサラディンと呼んだが、もとはヌールッディーンの家来であった。

そして第三期。十字軍にとどめを刺すのは、アイユーブ朝を倒したマムルーク朝（トルコ系、一二五〇〜一五一七）初期のスルタンたち。彼らの攻勢により一二九一年、フランク人はシリア、パレスティナの大地から一掃されてしまうのである。

2　聖戦を翔ける白い鷹

紅毛碧眼のアタベク・ザンギー

フランク人が建てた四つの国のうち、最初にできて最初に滅んだのはエデサ伯領であった。一一四四年、メソポタミアと地中海を結ぶ貿易路に位置してイスラーム世界ののどもとに深く突き刺さっていたこのキリスト教国を攻略したのは、紅毛碧眼《こうもうへきがん》の猛将ザンギー。彼は当時、分裂したセルジューク帝国内に輩出した九人のアタベクのなかでもっとも傑出した人材だった。

アタベクとは、日本史でみると、鎌倉時代の執権《しっけん》に通ずるものがある。アタはトルコ語で「父」、ベク（またはベグ）は「諸侯」「大名」だから、直訳すれば「父侯」となる。もとはセルジューク朝各地の幼君の補佐役であったが、やがては幼君の母（未亡人）と結婚、幼君に代わって権勢を振るうようになる。

アレッポの中央にそびえる城塞

彼らはマムルーク（奴隷）出身の場合が多かった。奴隷とはいっても、ムスリム社会にあっては、マムルークは被差別階級ではない。彼らは君主たちの信頼を受けた、子飼いの職業軍人である。この制度は九世紀半ばのアッバース朝第八代カリフのアル・ムウタシム（アル・マアムーンの弟）が始めたもので、高い教育を受けた彼らは出世して軍司令官や地方総督になる者が多く、やがては国の支配権までも握ってしまう。そのもっとも顕著な例が、エジプトに二七〇年も続く王朝を建てた前述のマムルークたちである。

さて、マムルーク出身の「白い鷹」ことアクソンコルは、

第一回十字軍が始まる直前、シリア・セルジュークに属するアレッポの総督として死んだ。同地のスルタン・リドワーン（在位一〇九五〜一一一三）に反乱の罪を問われたのである。息子のザンギーは若くして勇将の誉れ高く、バスラの総督であったとき、イラク・セルジュークのスルタンを助けた功により一一二七年、聖戦実施の命のもとにモスルのアタベクに任じられ、父の任地だったアレッポも手中に収めて、市民の熱烈な歓迎を受けた。

彼はそこでリドワーンの娘と結婚、亡父の遺骸をこの地に移すなど、アレッポに骨を埋める覚悟を示し、同時に本家セルジュークのスルタンから、シリアと北イラク全体に対する最高権力を委任されたという公文書を、抜け目なく取りつけた。自己の地位の正統性をまず鮮明にしたわけである。

神からの賜り物か、ペテン師か

反十字軍史の舞台へのザンギーの登場を、当時のアラブの史家たちはどう見ているか。彼を「ムスリムに与えられた神からの賜り物」としてべたぼめなのはモスルのイブン・アル・アシールゥ。ザンギー朝の高官の家に生まれたこの大歴史家は、ヌールッディーンとほぼ同時代人だ。一方「聖戦の名をかたる侵略者」とこきおろすのは、ダマスカスの年代記史家イブン・アル・カラーニシー。彼はザンギーと同時代人で、当時シリア・セルジューク朝はアレッポとダマスカスに分裂して争っていたから、ここにはその反映が明らかに見られる。ザンギーと戦うため、ダマスカスはエルサレム王国と同盟さえしているのである。

要するに彼はムスリム側でも賛否両論のさなかに立つ、興味津々たる人物だ。目は青く、肌は日焼けし、もじゃもじゃのひげ。大酒飲みで、残忍で、不誠実で、目的のためには手段を選ばぬ。こんなところは、これまでの対フランク戦を戦った多くのトルコ人部将と大差ない。彼はフランクとも、またムスリムとも激しく戦った。八方破れのようにも見える彼を、現代の史家の一人として、ゾエ・オルダンブール女史は『十字軍』のなかで次のように評価する。

「ザンギーは聖戦の狂信者でも、スルタンの従順な特使でもなく、自分自身のために働いた。彼は聖戦を行う使命感と、スルタンの意思を実行する能力という二つの資質を備えていた。彼の目的は、北はモスルからアルメニアまで、南はエジプト、そしてシリア、パレスティナを含む王国を建設することであった」。

聖戦の使徒

つまりザンギーは、当時のトルコ人部将たちには無縁だった聖戦意識と国家意識を持っていた。そこで、彼の対フランク戦は、それまで先人がやっていた略奪戦とはまったく様相を変える。「軍紀は厳正になり、わずかな過ちにも罰はきびしかった」と紹介するのは、当時の史書を踏まえて、『アラブが見た十字軍』をまとめたレバノンのジャーナリスト、アミン・マアルーフ。「ザンギーの部隊は平行に張った二本の綱の間を行くように整然と隊列を組み、耕された畑を決して踏み荒さなかった。彼とともに軍紀が変わった。一八年間にわたって、彼はシリア、イラクを駆けめぐり、和戦両様の構えで策略の限りを尽くし、戦陣にあっては地面の上にワラを敷いて寝るぐらいは平気で、数多い豪華な館でのんびり暮らそうなどとは夢にも思わなかった。彼はみずからを律することもきびしく、町に着いたときは城壁の外に幕舎を張って夜を過ごした」。

彼は住民の生活安定と福祉に気を配り、部下の面倒もよく見た。イブン・アル・アシールはいう。

「ザンギーはまた、女性の名誉、とくに、部下の兵士たちの妻の名誉に細心の注意を払った。もし面倒をよくみてやらなければ、夫の出征中の長い空閨《くうけい》に堪えきれず、彼女らはすぐ身を持ち崩してしまうだろう――と彼は語った」。

そして側近は政治経験ゆたかな顧問たちで固められていた。彼は情報網を張りめぐらし、エデサ、アンティオキア、エルサレムあるいはダマスカスはもちろん、遠くバグダードやイスファハーンなどで何が起こっているかに通じていた(このような情報重視政策はマムルーク朝まで受け継がれる)。

――以上がザンギーのおおよその人物像だ。オルダンブールは彼を「聖戦の使徒」と呼んでいる。

謀略と奇襲でエデサ攻略

その「使徒」の最大の業績であるエデサ（首都は現トルコ領のウルファ）攻略のあらましは次のとおりだ。

このフランク人国家は、ザンギーの領土の北隣をふさぐ「目の上のコブ」だったから、その攻略は彼の意識からかたときも離れることがなかった。

一一四四年秋、彼は絶好の機会をつかんだ。一年前、フランク側では有能なエルサレム王フールクが事故死した。息子たちは幼く、母親メリザンドが摂政である。一方、アンティオキア公レイモンはエデサのジョスラン二世と仲が悪い。しかもこの二人に対し、ビザンツ皇帝は含むところがあった。そこでザンギーはジョスランの孤立を読み取り、東北方のトルコ族と戦うと見せかけて出陣した。このおとり作戦に引っかかったジョスランは重臣たちと主力部隊を引き連れ、にぎやかな狩猟の旅に出る。スパイからこの通報を受けたザンギーは反転し、全速力でエデサに殺到した。

「その数の多いこと、まるで空の星のようであった」と目撃者アブール・ファラジは語る。彼はシリア正教会の主教で、同僚のアルメニア人とともに、あるじなき都の責任者として、フランク人（カトリック）司教を補佐しなければならなかった。城門の前に立ったザンギーは何度も降伏を呼びかける。

アブール・ファラジの休戦提案も無知な市民に拒否されたため、寄せ手は工兵を繰り出して城壁の下にトンネルを掘り出した。おびただしい材木を投げ込み、油、硫黄、獣脂とともに火をつける。猛火のなかで城壁はゆらぎ、突破口ができる。そのなかをかいくぐり、寄せ手は城内に突入する。三日間の略奪が許可され、初日だけで六〇〇〇人が殺された。

しかし、その途中でザンギーが介入して殺人をやめさせ、アブール・ファラジに向かい、「十字架と聖書にかけて忠誠を誓うならば、現住民の安全を保障する」と約束。この結果シリア人とアルメニア人は無事に帰宅したが、フランク人の方は財産の一切を没収され、聖職者、名士たちは鎖につながれてアレッポへ、また、職人たちは囚人として働くことになり、残るフランク人約一〇〇人は処刑された。

これがザンギーの戦後処理であった。その間ジョスランたちは、この攻防の三週間を狩猟先の町に留まり、急使を送ってひたすら援軍を待ったが、駆けつける者は一兵もなかった。

エデサ回復の報はたちまち広まり、ムスリム世界は歓喜に沸いた。フランク人の侵略以来、これほどの快挙はほかにない。ザンギーはまさに英雄であった。「次はエルサレムへ！」その期待にこたえる者はザンギーしかないだろう。バグダードのカリフは「征服王」「信徒の長の保護者」

などの美称を急いで贈る……。

しかしながら、わずか二年後、この栄光の絶頂のなかで、ザンギーは暗殺されてしまう。政治的意図はまったくない。それは愚にもつかぬ酒のうえでの変事だった。

部下の大名の反乱を鎮めに出陣した一一四六年九月のある夜、したたか酔って幕舎で寝たが、物音でめざめて気づくと、フランク人の宦官《かんがん》が残り酒をこっそり壺から飲んでいる。しかりつけて、また眠りに落ちたとき、翌日の厳罰を恐れたこの宦官に刺し殺されてしまったのである。下手人は脱走して反乱軍の陣営に駆け込み、莫大な恩賞にありついた。

「ザンギーはこの世でもっとも勇敢な男だった」と、イブン・アル・アシールは万感をこめて彼の頌《しょう》を書き、「信仰の殉教者」という敬称を捧げている。またフランク側の同時代の記録でも、全知の男、豪胆不敵などの賛辞がある。一方、彼に常に批判的だったダマスカスのイブン・アル・カラーニシーも次のような追悼の詩を書いた。

彼が去ったとみるや、敵どもは立ち上がった、

生きているときは、こわくて抜けなかった剣をつかみ――

3　「信仰の光」は輝く

「名将の器」ヌールッディーン

フランク諸国の結束が乱れ、その土台にひびが入ったときのザンギーの死は、同時に、彼が築き上げた王国の崩壊につながりかねなかった。こぶしの中の砂が、力を抜くと指のあいだをこぼれ落ちて、個々の粒に戻ってしまうように、さしもの精鋭も単なる略奪部隊に逆戻りしてしまう。第二回十字軍がやってこようとしているときに――。

このような危機を未然に防ぎ、聖戦意識をみごとに再生させたのが、彼の臨終に立ち会い、父の遺志の継承と展開を誓った次男、当時二八歳のマフムードであった。彼はその名よりも、ヌールッディーン（信仰の光、十字軍史料ではノランディン）の美称を史上に残す。

父の死で生じた「力の空白」に乗ずる動きはすぐ起きた。翌月、ジョスラン二世がエデサを奪回し、父の栄光を無にしたかに見えたのだが、ヌールッディーンはアレッポから電光石火の早業で再占領し、ジョスランを追い払ってしまった（エデサ伯領全土の征服は五年後の一一五一年）。この電撃作戦で、それまで無名だった若者は、「名将の器」にふさわしい人物であることを敵味方に証明した。それは花々しいデビューであった。その効果はたちまち現れる。父を敵視してエルサレム王国と同盟を結んだダマスカスの実力者ウナルが、娘をヌールッディーンに差し出したのである。

「一〇〇万の大軍」がやってくる

しかし、ダマスカス首脳のアレッポ不信の念は依然として強く、ヌールッディーンはまだ即位したばかり。「新たなフランク軍一〇〇万来襲」と恐れられた第二回十字軍は、この絶好の機会を活用すれば、少なくとも、「ザンギーの遺産」を獲得することができたであろう。しかし、この大軍はやることなすことすべてがへまで、そのつどヌールッディーンに栄光の階段をのぼらせることになる。そのへまの大部分は、現地側の判断に耳を傾けなかったことが原因のようだ。

この十字軍は第一回とちがい、ヨーロッパ最強国である独仏の君主、コンラート三世とルイ七世が指揮をとった。しかし両軍はルーム朝セルジューク軍の反撃と冬将軍のため小アジアですでに兵力の大半を失い、最後は船でドイツ軍はアッカ（パレスティナ）に、フランス軍はアンティオキアに上陸する。

ルイ七世は王妃アリエノールを伴っていた。アンティオキア公レイモン（英語名レイモンド）は臣下の礼をもって二人を迎える。彼はフランスの名門ポワティエの伯爵だったからで、同時に王妃にとってはたった一人の叔父だった。この血縁関係が国王をアンティオキアに向かわせたのだろうか。

レイモンはアレッポ攻略を進言した。この好機をつかんでアレッポを落とせば、エデサは自動的に落城するだろう……。しかし、ルイ七世は首を横に振って、「まずエルサレムへ」と答えた。彼は修道士的性格の持ち主で、エデサ回復作戦などまったく念頭になかったように見える。

拒否の理由はもうひとつある。国王が、派手好きな妻と勇敢で美男のレイモンとの仲を疑い、一刻も早く二人の仲を割きたかったからというのだ。いずれにせよ、ルイ七世はレイモンの憤激を残し、妻を軟禁同様にしてエルサレムに向かう。

しかし、この拒否はルイの後悔を呼んだことだろう。一年後、すでにアンティオキア公国の大半を奪ったヌールッディーンは、ついにレイモンを敗死させてしまうからだ（一一四九）。彼の首は塩漬けにされ、銀の箱に収められて、バグダードのカリフのもとに届けられた。これが、エデサのジョスランを見捨てた男の代価だった。

フランク人同士の不和

一一四八年六月、アッカに集まった独仏軍はエルサレム王国の首脳と作戦会議を開く。その結果決まったのが「ダマスカス征服」という無茶な計画だった。なぜそう決まったかについて、当時の史料は明らかにしていない。しかし類推できるのは、皇帝と国王をいただく独仏、つまり新参のフランク人の意思が現地フランク人の意思を押し切ったのだろうということだ。

何しろエルサレム王国はダマスカスと同盟関係にあったのだから、そのような背信を進んで行うわけがない。現地側は「王国生き残りの鍵はダマスカスにあり」として、長期の戦略的立場から、あえてこの決定に従ったのだろうか。王国側の最高主権者が、まだ未成年のボードワン三世（当時一九歳、在位一一四三～六二）の母、摂政メリザンドであったことも、現地の弱みを物語っているように見える。要するに、新参のフランク人たちは、半世紀来のフランク諸国の維持よりも、新たな征服欲に燃えたのである。

ダマスカス攻撃は寄せ手のみじめな敗北に終わる。背信を怒る司令官ウナルのもと、ダマスカスの守備は固かった。同時に彼は四方に援助を求めたので、その要請にこたえ、真っ先にヌールッディーンが、またモスルから兄のサイフッディーン（信仰の剣）が、トルコ人、アラブ人、クルド人の部隊を率いて駆けつけた。フランク人の無謀な作戦が、ムスリムの団結を生んだ。ボードワン三世はあやうく捕虜になるところだった。背信と敗北という重荷をかかえ、独仏軍はすごすごと帰国する。少なくとも一〇万の大軍を率いながら、失うことばかりの遠征だった。

老将ウナルの死後、ヌールッディーンは広報活動と宣伝という平和的手段の限りを尽くし、一一五四年、父が武力でも奪取できなかったダマスカスに、市民の歓呼を浴びながら入城した。統一されたムスリム・シリア王国の出現である。ダマスカスの征服は、彼の領土とフランクの領土とのあいだに横たわる最後の障害を取り除いた。

ムスリム・シリア、統一さる

ヌールッディーンは丈高く、肌は茶色で、あごひげだけを生やし、額は秀《ひい》で、まなざしはおだやかで澄んでいた。彼はすでに武略でも政略でも父に劣らぬしたたかさを示した。ではどこがちがっているかといえば、父から「破戒無慙《はかいむざん》」の部分を抜き取ったのがヌールッディーンだというところか。

やがて彼は酒を断ち、部隊にも酒と歌舞音曲の禁止令を出す。そして常に粗末な衣装をまとい、政務に疲れたときは、ターバンを巻いた聖職者たちを話し相手にした。同時代のフランク人史家ギヨーム・ド・ティールによれば、彼は「敬虔にして賢明、そして、とりわけ神をおそれる男」であり、イブン・アル・アシールによれば、「初期のカリフを除き、ヌールッディーンほど有徳で公正な人物はいなかった」ということになる。しかし、乱痴気騒ぎとぜいたく好きの部将たちにとって、これは煙たい主君であったにちがいない。

ヌールッディーンの志は高い。当面の目標はムスリム・シリアの統一。兄がモスルを固めていたから、彼は全力をこの事業に傾注することができ、いまやダマスカスのあるじとなった。次はムスリム世界における正統派（スンナ派）イスラームの教義の確立。そしてイスラームの敵との聖戦に献身することである。

4　エジプトの「国盗り」

ナイルの誘惑

一一六三年、この二つの目標に同時に到達できる手がかりとなるような事件が起こった。発生地はナイル川の国エジプトである。

少年のカリフをいただくファーティマ朝の宮廷では、衰亡期につきものの陰謀が渦巻き、追放された宰相シャーワルがヌールッディーンのもとに亡命してきて、助けを乞うた。武力介入して自分を返り咲かせてくれるなら、歳入の三分の一を貢納し、遠征費はもちろん引き受けるという条件。熟慮の末ヌールッディーンは要請を受諾し、腹心のクルド人、「山のライオン」ことシールクーフを総大将に任じた。

これは、すでにエジプトへ触手をのばしているエルサレム王アモリー（英語名アマルリック、在位一一六三〜七四）に出し抜かれないための措置だ。カイロの宮廷は内政不干渉を条件にエルサレムに貢納しており、アモリーはその未払いを口実に、即位直後――失敗には終わったが――デルタ地方に遠征している。

彼は、兄のボードワン三世に次ぎ、現地生まれの二人目の国王だったから、今でいうところの「中東事情」に通じているうえ、王国史上数少ない有能な君主だった。このナイル川国家は、エルサレム王国やシリアに比べれば、けたはずれに豊かだ。断末魔のファーティマ朝を最悪の敵に渡すな。彼は即位直後「エジプトに対するフランスの宗主権を認めるから船と軍隊を送ってくれ」と、ルイ七世に頼んだことがある。しかし、信心深いフランス王に地政学的理解はなかったから、彼は反転してビザンツ皇帝をくどき、同盟を結んでその血縁の王女と結婚した。

このような動きに後れをとれば、フランクはエジプトを奪って、中東一の強大国になるだろう。シーア派の国の宮廷紛争に無関心だったヌールッディーンも、これでは捨ててはおけなくなった。そこにはスンナの教義を広める可能性も生まれよう。アモリーに追いつき、追い越せ……。

「山のライオン」シールクーフ

大任を委ねられたシールクーフは当代随一の猛将だった。先年、アンティオキア公レイモンの首を斬ったのは彼である。しかし、これほど主君と正反対の性格をもった男も珍しい。独眼竜で、短軀肥満、かっとなったら止まるところを知らず、相手を殺すことさえある。おまけに暴飲暴食が好きときているから、ザンギーと多分に共通している荒武者だ。しかし陽気で、兵士と寝食をともにし、戦っては豪勇無双、しかも戦局を見誤ることはなかったから、部下は深く心服していた。

彼にはアイユーブという兄がいる。以前この兄弟は、ザンギーがある戦いで大敗し、窮地に陥ったところを、当時は敵の身ながら助けたことがある。のち失脚してザンギーに身を寄せ、兄は文官、弟は部将として仕えた。兄の息子のユースフが、後のサラーフッディーン（信仰の公正、なまってサラディン）である。

甥のユースフを伴ったシールクーフのシリア軍は、翌年四月末、アモリーの目をかすめてエジプトに潜入、カイロを奇襲して宰相を殺し、難なくシャーワルを復帰させた。

ところが、シリア軍のあまりの強さに恐れをなしたシャーワルは、前言を翻してシールクーフに退去を要請、同時にアモリーに救いを求めた。情勢険悪とみたシールクーフは急遽撤退したが、「エジプトの門」といわれるデルタのビルベイスで、アモリーとシャーワルの軍に囲まれてしまう。

この籠城を救ったのはヌールッディーンだ。彼は北方アンティオキア公国の要衝ハーリムを攻めて一万人を殺し、多数の捕虜を得たが、そのなかにはアンティオキア公ボエモン三世（英語名ボヘモンド、レイモンの息子）、トリポリ伯レイモン三世および旧エデサ伯のジョスラン三世という「三世による編成」の全指揮官が含まれていた。しかもボエモンは、アモリー不在中のエルサレム王国の名代だった。

大敗の報に接したアモリーは、囲みを解いてシールクーフと和議を結び、両者は同時に撤退する。ひとり笑ったのは、無手勝流でエジプトの実力者に返り咲いたシャーワルである。シールクーフは復讐を誓った。

シリア軍のカイロ入城

シャーワルのエジプトをめぐるアモリーとシールクーフの綱引きは、三年後の一一六七年と翌一一六八年に行われ、三度目の正直でシールクーフの勝ちに終わった。救済者としてカイロに迎えられた彼が、シャーワルを倒したからである。そのときカリフの認可状に基づき、シャーワルの首を斬ったのは、シールクーフの甥のユースフだった。

シャーワルは力の均衡政策よりも保身の術に明け暮れた。このことが彼ばかりでなく、エジプトそのものの運命を変えてしまったのである。中東の大国エジプトの激動の跡を振り返ってみよう。

一一六七年三月、シールクーフはカイロの南二五〇キロメートルのミニア付近でフランク軍を破る。カイロに逃げ戻ったアモリーは、カリフのアル・アーディド臨席のもと、フランク・エジプト同盟条約を正式に結ぶ。この間にシリア軍はアレクサンドリアを征服。反撃に出た同盟軍のアレクサンドリア包囲。後事をユースフに託して脱出したシールクーフは、南エジプトで兵を募ってカイロを攻める。和議が成立して両者は三年前と同じように同時撤退。

このとき、アモリーはユースフの降伏を受け入れ、シリア軍を寛大に遇してアレクサンドリアに入城した。フランク兵が東地中海最大のこの港に足跡をしるしたのは、後にも先にもこのときだけである。シャーワルはアモリーに金貨一〇万枚を納めることを約束した。エジプトはエルサレム王国の保護下に入ったわけだ。しかもこの金貨は慢性的赤字に悩む王国の財政をうるおして余りあることだろう。

それにもかかわらず、なぜアモリーは再度の遠征に踏み切ったか。理由のひとつはビザンツ帝国との同盟にある。協力してエジプトを征服すれば、東地中海全体がキリスト教圏に組み入れられることになるではないか。しかし、部下の騎士たちや聖ヨハネ騎士団が反対した。事がそう運んでも、実力の差からみて、エジプトはビザンツのものになってしまうだろう。それよりも、シールクーフに先んじて、エジプトを完全征服することだ……。

そのころのカイロは反フランク・反シャーワルの声で満ちていた。金貨一〇万枚を払うには増税せざるを得ず、その負担に市民が堪えられなかったからだ。救いを求める声がヌールッディーンのもとに届く。そのなかにはカリフ、アル・アーディド直筆の手紙もあった。これで遠征の理由ができる。

一一六八年一一月、一歩先んじたフランク軍はカイロに殺到する。恐れをなしたシャーワルは焦土戦術で抵抗した。アモリーは「シリア軍迫る」の情報を得て翌年一月はじめに撤退、六日後、シールクーフは八〇〇〇のシリア軍を従えてカイロに入城した。シャーワルの死でシールクーフは後任の宰相に任ぜられ、エジプトの真の実力者となる。

5　サラディンの時代

その前半生

しかし、ライオンの時代はあまりにも短かった。二カ月後の三月末、飽食がもとで急死したからである。このため、カリフがその後任として任命したのが、シールクーフの愛する甥、当時まだ三一歳のユースフだった。

「信仰の公正」サラーフッディーン、すなわちサラディンの時代の始まりである。

わずか三一歳で大国エジプトの実力者に。目のくらむような栄誉と重すぎる責任。サラディンはシーア派のファーティマ朝の宰相であると同時に、スンナ派のヌールッディーンの家来である。両立し得ないこの二役を、彼は武略と政略を使いわけてこなす。はじめ、シリアの部将たちがシールクーフの後任に推したのは、サラディンの母方の叔父だったが、彼は辞退して甥をカリフのもとに推挙したという。そういう若者サラディンとはどのような生い立ちをもっているのか。

ユースフ・イブン・アイユーブが本名のサラディンは一一三八年、バグダードの北、ティグリス川にのぞむタクリートで生まれた。父アイユーブはその町の一城主で、シールクーフとともに、ここで敗軍の将ザンギーを救ったのだった。少年時代は父が総督をつとめたバールベク（現レバノン）ですごす。一一五四年、ヌールッディーンがダマスカスを征服したとき、アイユーブはこの大都会の長官になる。そのころすでにサラディンは、叔父に従ってヌールッディーンに仕えていた。

やがて彼はアレッポの宮廷でヌールッディーンの側近になり、宮廷であれ、戦陣であれ、かたときも主君のそばを離れなかった。そして神学、アラビア語、修辞学、詩学を学び、名家の子弟のたしなみとして、ポロ競技、狩猟、乗馬、チェスに精を出す。のち、ダマスカス守備隊の副隊長をつとめた。また、酒と女にも一人前だったようである。

エジプト戦線へ、彼はむりやり叔父に連れて行かれた。シールクーフは甥たちのなかで、サラディンがいちばんかわいかったらしい。しかし、三度目は断った。前年の七五日間にわたるアレクサンドリア籠城の悪夢がついて離れなかったのか。しぶる彼に出陣の至上命令を出したのはヌールッディーンである。

後年彼は側近の伝記作家に次のように語っている。「私は屠所に引かれて行く羊のような気持で遠征に出かけた……」。

ファーティマ朝の滅亡

まるで「棚からぼた餅」の話であるが、サラディンの能力についてもう少し分析してみよう。シールクーフは彼にアレクサンドリア防衛の責任を委ねている。また今度はアサディーヤと呼ばれる精鋭部隊二〇〇〇人の指揮官だった。この二つの事実からも、彼の軍事的才能が十分評価されていたことがわかる。

次には行政的能力。カリフのアーディドはシリア軍の長期駐留を求めていた。そのためヌールッディーンは、シールクーフの補佐として、サラディンの存在を必要としたのだろう。遠征が成功したら、治安の維持と行政機構の確立がまず求められるのだから。以後四半世紀のあいだに、部将としてまた行政官として、つまり統治者として、比類のない彼の才能が発揮されていく。

彼の忍耐強い性格は、宰相になって二年半後の一一七一年一〇月、カリフ・アル・アーディドの病死の際によく現れている。「ファーティマ朝を倒してスンナの教義を確立せよ」とのヌールッディーンの度重なる命令に耳をふさぎ、彼は、この病弱で温和な少年カリフの早い自然死を見通して、じっと待っていたのである。

アル・アーディドが二〇歳で死んで、ファーティマ朝は消滅した。と同時に、この断絶を完全にするため、ただちに彼は厳格な措置をとる。王族の男女を隔離して、子孫の出生を禁じたのだ。

こうして王朝の交代は一滴の血も流れずに実現した。当時にあっては稀有の現象というほかない。青年宰相はエジプトの真の支配者になった。

ヌールッディーンの死

以後二年半、計五年の滞在中に挙げたサラディンの業績を眺めると、特筆されるのは世俗的にはエジプトの安定化と強国化、そして宗教的にはこの国をスンナ派の強力な基盤につくり替えたことである。

ダマスカスのヌールッディーンの廟の中庭

まずヌールッディーンにならって税金を廃止し、民心をつかんだ。次いで父、兄弟ら一族を呼び寄せて軍事・行政の中核に据え、一方、クルド人、トルコ人、シリア人で親衛隊をつくり、エジプト軍を再編成して南部エジプト、イエメンを征服した。

しかし、年ごとに高まるサラディンの声望がヌールッディーンの疑心を招いた。本心を知ろうと招請しても、サラディンは言を左右にして応じない。事実、二人は二度と会うことがなかった。

ここから二人の不和説が生まれ、イブン・アル・アシールが先頭に立ってサラディンを批判するのだが、それを「ザンギー家びいきの彼の悪意」として退けるのが、イギリスの史家ハミルトン・ギブ。詳細な注釈を添えたその著『サラディン』によれば、不和があったとすれば、それはジハードに対する見解の相違からくる。つまり、ヌールッディーンにとって、主戦場はあくまでシリアであり、エジプトはそのための財源であるとするのだが、サラディンにとっては、財源は当座はエジプトの強力化に用い、ファーティマ朝の残党がフランク・ビザンツ同盟と結ぶ機会をつぶさなければならないのである。

真相は不明のまま終わった。一一七四年五月、ヌールッディーンが心臓発作で急死したからだ。あとに残ったのは一一歳の少年サーリフ。

ほっと安堵《あんど》の胸をなで下ろしたのは、アモリーであったにちがいない。シリアとエジプトが結ばれて強力な顎をつくり、そのなかでかみ砕かれてしまうかと思ったとき、そのうわ顎が消え失せたからだ。というのは、サーリフの補佐役争いがたちまち起こってシリアはばらばらとなり、部将の何人かはアモリーに同盟を求めさえしているのである。

アモリーは勇躍出陣した。しかし、彼の上に輝いた星はたちまち消える。七月、赤痢で陣没してしまったからだ。あとに残ったのは一三歳の、ハンセン病にかかっているボードワン四世（在位一一七四～八五)。

一〇月、サラディンはダマスカスに入城する。サーリフはアレッポへ逃げており、一一八一年病没した。

聖戦の機はようやく熟す

反十字軍の歴史を通じて傑出しているのはサラディンのエルサレム征服であり、その偉業の決め手となるのがヒッティーン(またはハッティーン)における大勝であった。これは一一八七年七月で、エルサレムを落としたのは三カ月後の一〇月だ。これほど早いピッチでエルサレム王国は滅んだのに、このときと彼のダマスカス入城とのあいだには、一三年の月日が流れている。この一三年間に、彼は何をしていたのか。

ひとことでいえば、シリア、メソポタミアの再統一はそれほど難しかったということだ。サラディンは大国エジプトのスルタンになったとはいえ、ザンギー家は彼を家臣と思っているし、さらにクルド人として差別していた。部将たちも同様だ。そのような状況下でジハードを唱えても通じない。

彼は全力をあげて「ヌールッディーン」の精神的後継者」としての正統性の獲得につとめる。主君の未亡人と結婚したのもその表れだ。彼女はかつてのダマスカスの実力者ウナルの娘で、サーリフの母である。彼はまた、バグダードのカリフに贈り物と手紙の山を届けて、スルタンの地位を認可されている。

そのあいだ、彼は酒を断ち、この世の快楽を退けて、イスラーム学の探究にふけり、帝王学を身につける一方、フランクのボードワン四世とは、戦術的に休戦協定を結んでいる。

こうして、ようやくのことでシリア、メソポタミアの再統一が成り、聖戦実施の機が熟した。このころ、エルサレム王国でも、ボードワン四世亡き後の継承問題で内紛が絶えず、その弱体ぶりは、第一回十字軍時代のムスリム世界さながらだった。フィリップ・K・ヒッティはいう。

「サラディンはこれまでに二つの偉業をなしとげた。ファーティマ朝の打倒とシリアの征服である。この二つの王国の統合は、今や彼の生涯の中枢目標になった第三の、そして最大の業績の実現への必要不可欠な道程であった。彼の全経歴は将来の実行、すなわちエルサレム攻略の序曲にすぎないように思われた」(『アラブ史の形成者たち』)。

しかも、十字軍史を通じての無軌道極まるカラク(現ヨルダン領)の領主ルノー・ド・シャティヨンが、休戦協定を無視して何度も領内を通過するアラブの隊商を襲い、その荷を略奪していたのである。

エルサレムの奪回へ

一一八七年六月末、サラディンは騎兵から成る一万二〇〇〇の正規軍を率いてダマスカスを後にし、パレスティナに下った。ほぼ同数の補助部隊、志願兵部隊も従っていたようだ。これに対し、エルサレム王ギー（在位一一八六～九二）のもとのフランク軍は重装騎兵（騎士）一二〇〇、

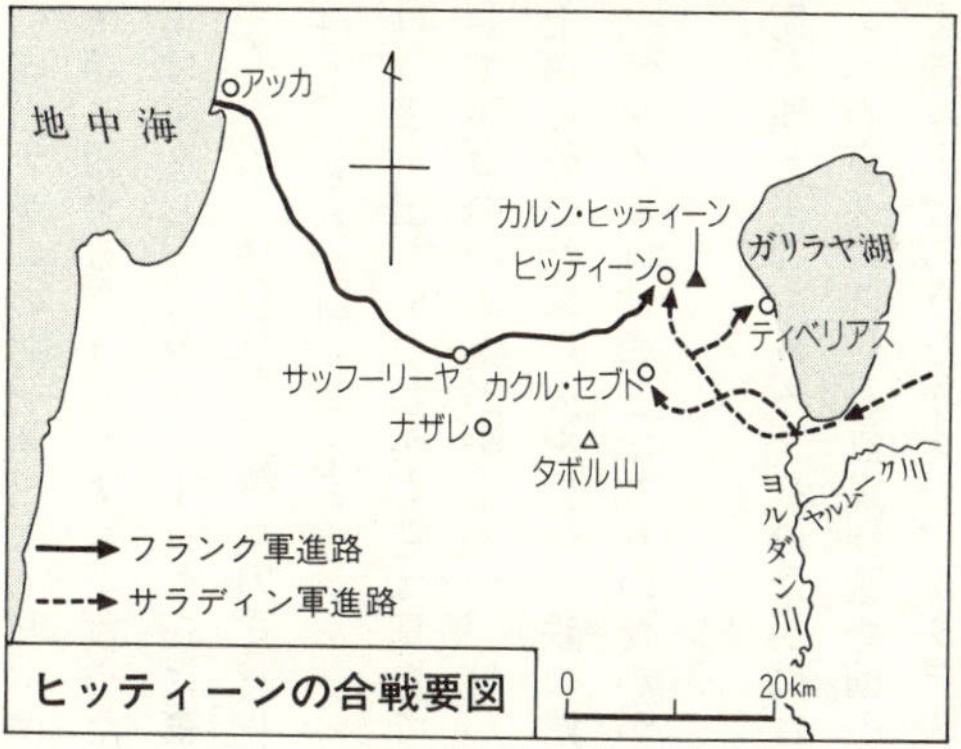

ヒッティーンの合戦要図

（上）**サラディンの騎兵隊**　14世紀の細密画

軽装騎兵三五〇〇、歩兵一万八〇〇〇。ナザレの北、サッフーリーヤの泉のそばに陣を張る。

七月二日、サラディンはガリラヤ湖に面するティベリアスを攻めた。おとり作戦である。翌日、砦の守備隊の援軍要請でフランク軍は東進し、ヒッティーンの丘に夜営する。この報に接し、サラディンは思わず叫んだという。「アッラーはわれらに敵を引き渡したもうた！」ムスリム軍の陣地がさわやかな湖の風を背に受けているのに対し（そのうえティベリアスは温泉町だ）、ヒッティーンの丘はもとは火山なので水は一滴も出ない。しかも時は真夏である。

七月四日の決戦は、水のあるなしで勝負のゆくえが決まった。日が昇ったとき、フランク軍は包囲されていた。ムスリム兵が風上から乾いた草に火を放つ。鉄の鎧をまとう騎士たちに燃えさかる火の海が迫る。渇きに苦しむフランク軍は、煙とほこりのなかから現れた軽装騎兵の突撃のもとに壊滅した。

サラディンの幕舎に主だった捕虜が連れてこられる。そのなかには国王ギー、ルノー・ド・シャティヨン、そして「ヒッティーンへの東進」という無謀作戦を国王に押しつけた神殿騎士団の総長がいた。ルノーは数々の罪状を読み上げられたうえで、サラディン自身によって処刑された。神殿騎士団、聖ヨハネ騎士団の一〇〇名にも、同じ運命が待っていた。次はわが身かと恐れおののく国王を、彼はクッションにすわらせ、ヘルモン山の雪で冷やしたバラ香水のシャーベットをすすめていたわった。彼の有名なせりふが残っている。「王は王を殺しませぬ！」

次はエルサレム攻略だ。ヨーロッパからの援軍到来を警戒し、ティール（現レバノン領スール）以外のパレスティナ沿岸諸都市をアッカからアスカロンまで攻め落としたうえで、袋のネズミのエルサレムを囲んだのが九月二〇日。一二基の攻城用兵器と弩《おおゆみ》や投石器、そして工兵の登場。あるじなき首都はついに一〇月二日に開城する。サラディンは正規兵を要所に配置して、味方の雑兵たちが略奪に走るのを未然に防いだ。第一回十字軍の暴挙に比べ、これは何という寛大な処置だろう。彼の度量を示す美談は数えるにいとまがない。

「黄金のドーム」で名高いウマルのモスク（エルサレム）

城内のおもな聖堂が昔に返った。「主の殿堂」は「ウマル・モスク」、神殿騎士団の「ソロモン神殿」は「アル・アクサー・モスク」に戻る。かつて第一回十字軍がウマル・モスクのドームの上に立てた金色の大十字架は、サラディンの軍隊と亡命に旅立つフランク人の目の前で倒された。十字架が落ちると――とイブン・アル・アシールは伝える――フランク人もムスリムも大声をあげた。ムスリムは「アッラーフ・アクバル！」。フランク人があげたのは苦痛の叫びだった。

古典的名著『サラディン』を書いたイギリスの史家スタンレー・レインプールはいう。「もしエルサレムの攻略がサラディンの唯一の業績であったとしても、そのことは、彼が当時の、またおそらくはあるゆる時代を通じて、最も騎士道的精神をもった征服者であることを示すのに十分であろう」。

第三回十字軍

衝撃を受けた教皇は西欧三大国の独仏英から成る大軍を送る。これが第三回十字軍であり、率いるはドイツ皇帝フリードリヒ一世、フランスのフィリップ二世、イギリスのリチャード一世で、十字軍史上最大規模の派遣であったが、ドイツ軍一〇万はフリードリヒが行軍中の小アジアで水死したため煙のように消え、聖地に着いたのは一〇〇〇人程度の騎士にすぎなかった。

これに対し仏英軍は一一九一年の四月と六月にティールに到着、サラディン軍と戦闘に入る。すなわち要港アッカ(現イスラエル領アッコ)の攻防だ。ちなみに、フィリップ二世はルイ七世の息子、またリチャード一世は、ルイ七世から離婚されたのち英国王ヘンリー二世妃になったアリエノールの息子で、ともに父親以来の険悪な仏英関係をしょいこんでいる。

アッカの攻防はすでに二年前の八月から始まっていた。サラディンの腹心が固めるアッカを、彼への誓約を破って攻めるのは、彼に釈放されたエルサレム王ギーだが、この小部隊はいつの間にか二万人にふくれ上がっていた。ヨーロッパ各地からやってきた応援軍のおかげで、そこには北イタリア、シャンパーニュ、フランドル、フリースラント、デンマークの部隊がおり、さらにイタリア諸都市の艦隊が海上を封鎖したのである。十字軍史上、これほど多彩な戦闘はほかにない。

サラディンはアッカを包囲するフランク軍を包囲した。この二重包囲がアッカ戦の特色で、戦線が停滞していたとき、仏英の援軍二万が、遠巻きにするサラディン軍を横目に見て、フランク軍に加わった。これで戦局が動き、早くも七月にアッカは陥落、フィリップ二世は「使命を果たした」として、急いで帰国してしまう。以後は「ライオン魂」の異名をもつリチャードとサラディン間の、史上名高い対決だ。

その武勲詩についてはすでに豊富な史書があるので省略しよう。結局一年後の一一九二年九月、両軍は三年八カ月の和議を結び、フランク軍はティールからアッカを含み、ヤッファに至る狭い沿岸地帯を確保した。エルサレムなきエルサレム王国（アッカ王国）は、かつての一〇分の一の国土ながら、以後一〇〇年の生命を保つ。サラディンはまた、キリスト教徒による聖地巡礼の安全を保障した。

人民が嘆いた死

この一年間に「ヒッティーンの勝者」もしばしば苦杯をなめている。サラディンも全能ではなかったわけだが、その苦杯の原因はむしろムスリム側にある。サラディンが未熟練の徴集兵を主力にしてフランク軍と戦わなければならなかったことが第一で、その他を挙げれば次のとおりだ。「サラディンはもはや若くなく、ヒッティーン以来の五年間にわたる厳しい戦闘で、彼の鉄の意思もかげり、沿岸全土の維持は手に余ることを悟った。海上は封鎖されているし、長い戦陣に飽いた部隊には不穏な空気が生まれ、彼の甥さえ反乱を起こしたほどであった」(ヒッティ)。

和議から半年後の一一九三年三月四日、反十字軍最大の英雄サラディンはダマスカスで病死した。五五歳で、死因はマラリアだった。敬虔な彼にとり、ついに聖地メッカを巡礼する暇のなかったことは、最大の痛恨事であったにちがいない。

十字軍史の大家、フランスのルネ・グルッセによる頌をしるそう。「彼の度量、深い人間味、狂信に走らない信仰、自由と礼節の花を咲かせる高邁《こうまい》な人格は、西洋の古い年代記史家たちの目を見張らしたもので、フランク・シリアの土地においても、イスラームの世界に優るとも劣らない人望をもたらした。人間のすべてをむき出しにする悲劇的状況のもとで、フランク人はしばしば彼に接することによって、イスラームの文明もまた、真に立派な人格の典型を生み落とすことに気づいた」(『十字軍』)。

「富は聖戦遂行のため、または他人のために使わるべきもの」との信念を貫いたサラディンは、死んだとき、個人の財産としては金貨一枚、銀貨四七枚しか残さなかった。これは庶民としては葬儀もできない額である。

サラディンを知る一人は次のように語った。「これは、人びとが心から嘆いた国王の死の唯一の例だ」。

6　サラディン後、アイユーブ朝の八〇年

平和共存の時代も、やがて……

「なに、フランク軍がダミエッタ（ナイル川の東の河口）を出てカイロをめざしおるとな？　アッラーフ・アクバル！」

一二二一年七月、スルタンのアル・カーミル（在位一二一八～三八）は思わず喜びの声をあげた。敵軍襲来の報を聞いて喜ぶとは、いったいどういうことなのか。それは彼の胸に、無手勝流の作戦がたちまち立てられたからであった。

ここでアイユーブ朝の流れをしばし追ってみる必要がある。サラディンの死後、同朝のバトンは弟のアル・アーディル（「正しい人」の意）に引き継がれた（在位一二〇〇～一二一八）。アル・

カーミル（「完全な人」の意）はその息子である。

「アル・アーディルは兄のカリスマや天才の持ち主ではなかったが、兄に勝る行政官だった。彼のもとでアラブ世界は平和と繁栄と寛容の時代を経験した」（A・マアルーフ）。兄のおかげでフランク諸国が無力化した以上、彼は聖戦の継続よりも共存政策を選び、新たな十字軍のエジプト侵攻を未然に防ぐため、海の強国ヴェネツィアに、アレクサンドリア港使用の特権を与えてその頭をなでた。外には善隣、内には経済成長の政策である。おかげでフランク諸国も繁栄した。

しかし、このような平和にがまんできなかったのがローマ教皇で、アッカに新手の部隊を送り込む。総帥に推されたのは、フランス王フィリップ二世の推挙により、エルサレム王になったばかりのシャンパーニュ公ジャン・ド・ブリエンヌ。彼はヨーロッパで名だたる勇将で、一二一八年に始まる侵攻は彼の着想だった。

ナイル川が侵略軍を「撃退」

一二一八年八月、ダミエッタ攻防のさなかにアル・アーディルは急死し、アル・カーミルはダミエッタ撤退を条件にエルサレムの明け渡しを申し出た。親ゆずりの実務主義者である彼にとっては、エルサレムよりエジプトの方が大事だったのだ。ジャンが「作戦成功」とばかり受諾を決め、部将たちも同意したところを、猛反対でつぶしてしまったのが枢機卿のペラギウス。「第五

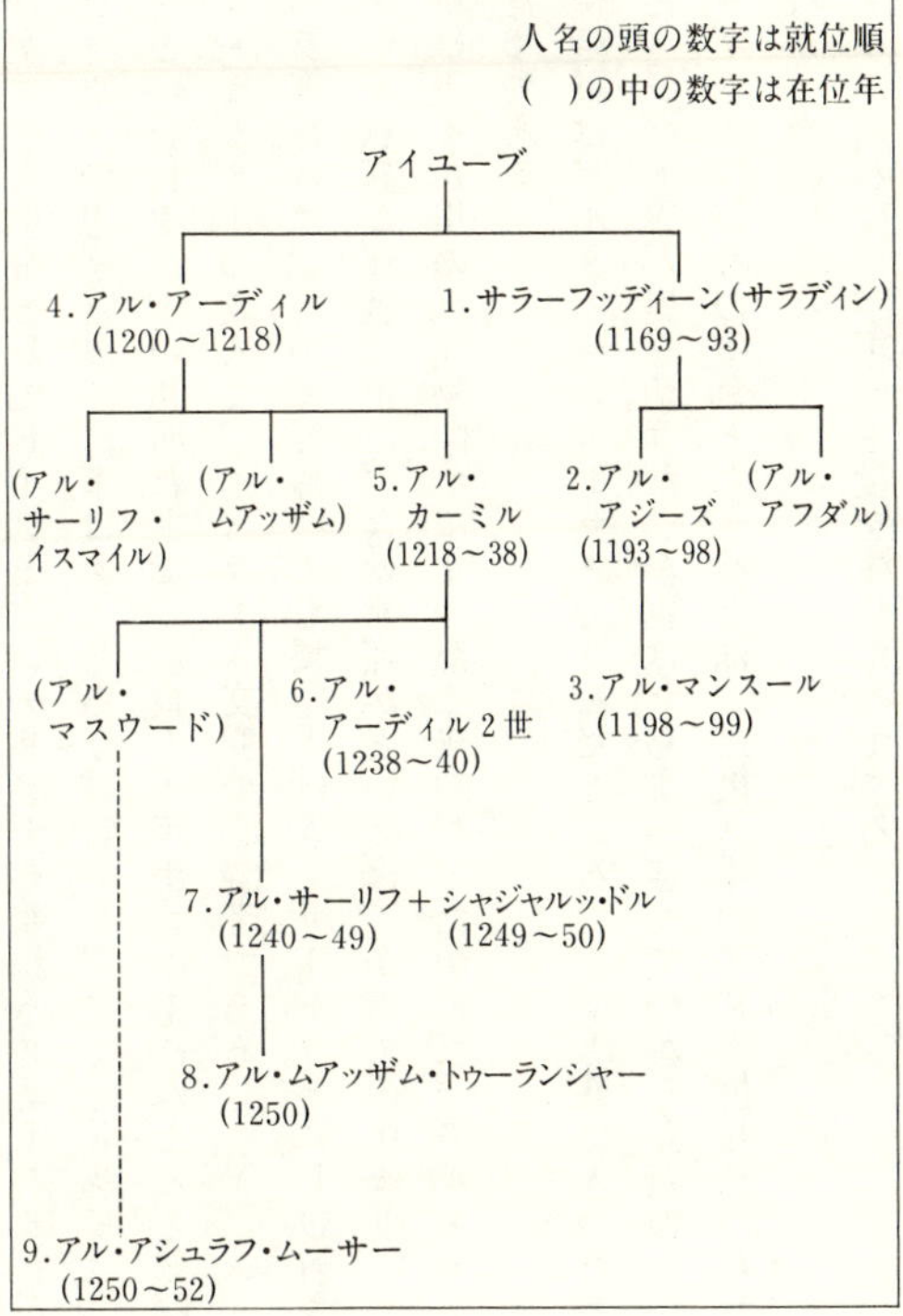

アイユーブ朝の系譜

回十字軍の疫病神」と後世からいわれる教皇特使で、エジプトもエルサレムも二つながら頂戴しようと思ったのである。ジャンは怒って帰国してしまったが、ペラギウスには成算があった。フリードリヒ二世がやってきてくれるから……。

神聖ローマ皇帝としてドイツ王、シチリア王を兼ねるフリードリヒがもし大軍を率いてきたら、ペラギウスの思惑どおりに事は運んだろう。しかし、フリードリヒは「三〇〇年早いルネサンス人」といわれるほどの開明君主で、聖戦のイデオロギーにはとんと無関心だった。しかも、彼はアル・カーミルの友人で、イスラーム文明の心酔者である。

ペラギウスは、いつまで待っても腰を上げぬフリードリヒにしびれを切らし、独力でカイロ征服という無謀な作戦に出た。なぜ無謀かといえば、かつてのアモリーの第一回遠征と同じく、侵略軍はナイル川の「怪物性」にまったく無知だったからだ。アル・カーミルが小躍りしたのはこのためである。

侵略軍はデルタのマンスーラまで進んだところで、増水期に入ったナイルにぶつかる。待ち構えたエジプト軍が堤を切った。全軍はたちまち膝までつかる泥海のなかに立ち往生してしまう。ペラギウスは将兵の生命と引き換えに、以後八年の平和を押しつけられ、無一物で撤退せざるを得なかった。

ナイル川が反十字軍の主役を演じたのである。

ルイ九世のエジプト侵略

フランクは一二四九年六月、再びダミエッタを占領した。三万六〇〇〇の大軍を率いたのはフィリップ二世の孫ルイ九世（在位一二二六〜七〇）で、中東を侵略した最後の十字軍（第七回）である。彼はジャンと同じく、エルサレムの鍵はエジプトにありと信じていたにちがいない。時はアイユーブ朝末期で、スルタンのアル・サーリフ（アル・カーミルの息子、在位一二四〇〜四九）は重病の床にあった。

アル・サーリフはアル・カーミルと同じ和議を申し出た。すなわち、エルサレム譲渡を条件に撤退を求めたのであるが、これをけとばし、カイロ征服をルイに決断させたのが、第二の疫病神と十字軍史家にいわれる王弟のロベール。しかし、全軍が一一月下旬、ナイルの減水期を待って進撃したころ、アル・サーリフはマンスーラの本営で病死した。一人息子のトゥーランシャーははるかイラクの北の戦線にいる。勝利の女神は十字軍にほほえみかけているようであった。

エジプト側の窮地を救ったのは彼の愛妻シャジャルッ・ドル。軍の動揺を恐れて摂政役のファクルッディーンと図り、トゥーランシャーの帰国までその死を伏せることに決めた。

翌年二月はじめ、ナイルを隔て、マンスーラの対岸に陣を敷いていたフランス軍は、ついに浅瀬を見つけた。これを利用して、ロベール指揮の先遣隊は渡河に成功、兄の制止を振り切って市内に突入する。これが完全な奇襲となってファクルッディーンは戦死し、エジプト軍は混乱の極に達した。伝書鳩が一三〇キロメートルの距離を飛んでカイロに急を告げる。その第一報がどのような衝撃をカイロに与えたか、当時の記録を読んでみよう。鳩便は二月一〇日、火曜の午後に届いている。

襲いかかるライオンたち

「情報は敵がマンスーラを襲い、激戦になったというだけだったので、われわれおよびムスリム市民は大混乱に陥り、皆が皆、イスラームの破局の日のことまで心に思い描いた。日が暮れると敗残兵が到着したので、ナスル門は終夜開け放たれた。逃げ戻った文官たちも門をくぐったが、フランク部隊が突入してからの戦況はだれも知らなかった。われわれは

敗残兵を迎え入れるためひと晩じゅう開けられていたナスル門

水曜の朝日が昇るまで、不安の一夜をすごした。そこへ勝利の吉報が届いたのだ」（イブン・ワーシル）。

奇跡の逆転劇を報ずる便がこのように遅れたのは、鳩は夕方になると適当な木をねぐらにしてしまうからだ。その逆転劇とは何か。主役を演じたのは一〇年後のスルタン、バイバルスが率いる親衛隊のバフリ・マムルークだった。イブン・ワーシルはしるす。

「フランク王（ロベールのこと）は市内に突入して本営に達した。フランク部隊はどんな狭い通

路にも展開したので、市民も兵も逃げまどった。イスラームはとどめの一撃を受けるところで、フランクの勝利は目前にあった。ムスリムにとって幸運なのは、フランク兵が展開しすぎたことだ。あわや、という危機の瞬間、戦場のライオン、バフリ・マムルークのトルコ人部隊が人馬一体となって敵に襲いかかり、彼らをけ散らし、敗走させた。フランク勢は剣と棍棒で皆殺しになった」。

このとき、突入した先遣隊の二九〇騎は、五人を残し、ロベールを含めて討ち取られた。エジプト軍は余勢を駆って反撃に移る。

「この吉報は太鼓の響きとともに発表され、当局は直ちに祝賀の用意に取りかかった。フランクに対するこの勝利の報は歓喜と熱狂の渦を巻き起こした。これはトルコのライオンたちが〈不信心の犬ども〉（キリスト教徒のこと）を打ち破った最初の戦闘である。この報は帰国の途上にあるムアッザム王（トゥーランシャーのこと）に伝えられ、その帰国の歩みを速めさせた」（同）。

第五話　風雲児バイバルス

——一三世紀の国際関係

プロローグ　エジプトは侵略者の墓場

ここで視野を広げ、多少の重複はあるが、中東を中心とする当時の国際関係から、「ライオンたち」を率いるバイバルスの生涯を浮き彫りにしていこう。

私がエジプトのカイロに住んでいた一九五〇年代後半はナセル大統領の絶頂期で、アラブ民族主義がオールマイティのような顔をしていた。そのころ売り出されたシリーズ切手のタイトルが「エジプトは侵略者の墓場」というのも、いかにも当時の風潮に似つかわしく、私は今もそれらの切手のデザインをおぼえている。一枚は十字軍を率いてエジプトに侵攻したフランス王ルイ九世が一二五〇年デルタ地帯で大敗を喫し、捕虜になったときの図。他はそれから一〇年後、エジプト征服をめざしたモンゴル軍がパレスティナでの会戦で惨敗する見取り図だった。この二つの危機を切り抜け、エジプトを勝利にみちびいた立役者こそ、ここに紹介するルクヌッディーン・

バイバルスだ。

しかし、彼はエジプト人でも、また、この民族を含むアラブ人でもなく、南ロシアの草原から売られてきたトルコ系の奴隷だった。アラブ人とはちがって紅毛碧眼、しかも片目の奴隷の身で、いったいどうしてこのような大事業を行うことができたのであろうか。まさに、中世イスラーム世界きっての風雲児であるというほかはない。

1　モンゴル軍の中東遠征

フランス王の接近

モンゴル軍の西征は、地理的に見て、二方面に分けられる。対ヨーロッパと対中東の二つで、前者のピークをなすのは、チンギス・ハンの孫バトゥを司令官とし、一二三〇年代後半から始まるロシアおよび中部ヨーロッパの侵略だった。これはアジア対ヨーロッパの戦いといえよう。

この意味からいえば、後者のうち、同じくチンギス・ハンの孫フラグが一二五〇年代前半から始めた中東作戦は、アジア対アフリカの戦いである。受けて立つエジプトのマムルーク朝と、フラグが興したイル・ハン国（現在のイラン、イラクに当たる）との闘争は、半世紀にわたって続く。モンゴルが起こした世界戦争という国際情勢を背景に、この闘争の系譜とエジプト対十字軍との関係を描くことが、バイバルスを主人公とする本項の二つの主要なテーマである。

フラグの中東遠征は一二五三年に始まる。バトゥのヨーロッパ侵略当時の例にならって、モンゴル帝国第四代の皇帝モンケ（在位一二五一～五九）は、一族の各王家から保有する兵力の五分の一を供出させて遠征軍を編成、弟フラグを司令官に据えた。フラグは兄から二つの任務を与えられる。ひとつは北イランからシリアにかけて猛威をふるう暗殺者教団イスマイル派の掃討、他はバグダードを都とするアッバース朝カリフ帝国の征服。つまり、この二つの宗教的権威を一掃することによって、西アジア全域をモンゴル帝国の版図に加え、最後には、エジプトを従えようとしたのである。

このころ、西アジアの西端、パレスティナ地方の経営には、のちに聖《サン》ルイと呼ばれるようになるフランス王ルイ九世が当たっていた。彼は一二五〇年、多額の身代金を払ってエジプトから釈放され（後述）、当時エルサレム王国の首都となっていたアッカを中心にティール、シドン（現レバノン領サイダ）などの城を修復、紛糾常なきフランク諸侯関係を調整するかたわら、対モンゴル同盟、つまりイスラーム軍封じ込め作戦の可能性を打診するため、フランシスコ派の修道士ルブルックを使節として、はるかカラコルムのモンケのもとに派遣していた。彼のパレスティナ経営は、故国で摂政の任に就いていた母の死で帰国を迫られる一二五四年まで続く。

この同盟工作は実らなかった。モンケは世界の帝王をもって自任していたから、その態度は尊大で、同盟などという対等関係にがまんできなかったからだろう。しかし、彼の妻妾の一人は、漢字では景教徒と書くネストリウス派のキリスト教徒だった。フラグの妻で、中東遠征に同行した女性も景教徒だったし、先遣隊司令官として、一万二〇〇〇の精鋭を率いて出発したキトブカも景教徒だった。自身は仏教徒だったが、キリスト教に理解あるフラグの性格は、この遠征中しだいに明らかとなってくる。

バグダード炎上

フラグの遠征軍は、ルイ九世のパレスティナ滞陣中に、西アジアの中心部であるイラク、シリアに達することができなかった。カスピ海の南、峻険なエルブルズ山脈を中心とするマゼンデラン地方に立てこもるイスマイル派を掃討するのに、まる三年の歳月を費やさなければならなかったからである。中東は手ごわいのだ。掃討の完成後、モンゴル側はひとまず軍を返し、中央アジアの草原で、兵と軍馬に十分な休養を与えた。

一二五七年、「天高く――」とのことわざが示すとおり、秋がくると軍馬はいななき、全軍に鋭気は満ち満ちた。フラグの進撃命令が下る。モンゴル軍はひとつひとつ城を落とし、抵抗する都市は徹底的に粉砕する。首都バグダードは包囲され、四〇日間の攻防ののち、守備隊は最後の一兵まで殺された。翌年一月末、都は落ち、カリフ・ムスターシムも投降する。火が放たれ、猛火に包まれた町は二〇日間にわたって炎上し、アラブの一史家によれば、二〇〇万人の市民のうち、一六〇万人が殺され、ティグリス川は流血のため数キロメートルも赤く染まったほどである。大寺院と歴代のカリフをまつった墓も破壊された。次はムスターシムの番である。フラグはこの聖なる血統を引く人物を斬罪に処するのを避ける。カリフは皮の袋に封じこまれ、バグダードの大通りを疾駆する馬に引かれ、袋の中で息絶えた。

衰えたとはいえ、イスラームの精神界にはなお絶大な影響力をもつカリフ帝国のこの滅亡ぶりは、当然イスラーム全域にはかり知れない衝撃を与えた。シリアも、次いでエジプトも、同じような運命に陥るのであろうか？

道案内はキリスト教国の王たち

しかし、この同じ地域で、ムスリムとは正反対に、期待に胸をふくらませ、モンゴル軍の到着を待ちうけている人々もいたことは事実だ。それは西アジアにムスリムより古くから住む、ネストリウス派、アルメニア派、ヤコブ派など、土着のキリスト教徒である。彼らにとって、モンゴル軍は、七世紀以来この地で二級市民にされていたキリスト教徒の解放者となったのだ。事実、フラグはネストリウス派の妻の願いをいれ、バグダードのキリスト教徒を許し、その財産に手をつけなかったではなかったか？

組織的に、もっともフラグに協力したのはアルメニア派である。彼らは現在のトルコの東部、東地中海に接するあたりに小王国をつくっていた。その王ヘトゥーム一世はカラコルムにモンケを訪れて臣従を誓い、その代償として、聖地回復運動の支援を要請していた。修道士ルブルックはモンゴルからの帰途アルメニアに立ち寄ったが、その際ヘトゥームは修道士に向かい、モンケが「フラグの率いる大軍にムスリムを攻撃させ、バグダードを取ってカリフ帝国を滅ぼし、聖地をキリスト教徒に返す」と約束したと、誇らしげに語ったという。一二五五年のことである。

アルメニア王国のすぐ南にはアンティオキア公国と呼ぶフランク人の十字軍国家があり、そのさらに南、現在のシリア西北部には同じフランク人国家トリポリ伯国があって、この二小国は共同君主としてボエモン六世を戴いていた。ボエモンはヘトゥームの娘婿で、義父と同じ政策をとる。ねらいはもちろん聖地の奪回だが、と同時に、領土の拡大も含まれていたようだ。この三国の軍隊が土地案内役として参加すれば、モンゴル軍の作戦を容易にすることは当然のことであろう。

一二五九年秋、モンゴル軍はカスピ海の西、アゼルバイジャン（イラン西北部からカフカズに至る地域）を発し、ティグリス、ユーフラテス両河に囲まれるメソポタミアの北部地方を南下する。ディヤルバクル、エデサ（ともにトルコ東部の要地）は奪取され、アミール（太守）たちの首ははねられて槍の穂先に刺される。恐れおののいた別の領主は、靴の裏に自分の肖像を描かせてフラグに贈り、臣従の証しとして、その靴をはいていつも自分を踏みつけてもらえれば幸福であると願い出たほどである。

翌年一月、モンゴル軍はユーフラテス川を渡り、シリア北部の要衝アレッポの城外に陣を敷いた。ヘトゥーム、ボエモンの率いるキリスト教徒軍が合流する。また市内に多いヤコブ派キリスト教徒の代表たちはひそかに町を逃れてフラグを表敬訪問し、勝利の一日も早いことを願った。この連合軍の前に、アレッポは一〇日間の抵抗ののち陥落する。かつてはビザンツ帝国の、そして十字軍の攻撃にも耐えた城も、モンゴル軍の猛攻には敵しがたかったのだ。虐殺と略奪はさらに一〇日間続き、五万人の男子が殺されたうえ、一〇万人の婦女子が奴隷に売られた。ヘトゥーム一世は大寺院に放火した張本人だった。

アレッポから首都ダマスカスへは、昔から一本の幹線道路が真直ぐに南下している。沿線の要地ハマ、ホムスも同じ運命のもとに置かれた。このころシリアはサラディンを祖とするアイユーブ朝の分家に当たるスルタン・ナスルの治下にあった。彼はフラグへの臣従を表明したが、それだけでは命は危ないと見て、エジプトへ逃げる。あるじのいない都は、それでも一カ月間持ちこたえ、四月のはじめ陥落した。ダマスカス名物のアンズの花が、郊外の林を覆って雪のように白く咲き出すころだ。

守備隊はしきたりどおり、皆殺しのうき目を見る。ウマイヤ朝一〇〇年の栄華の跡を残す同名の大寺院は、もともとはローマ時代の神殿であり、洗礼者ヨハネの首塚は今でも残っている。アラブはこれをモスクに改装したのだったが、いまや市内のキリスト教徒はみずからの解放を祝い、この寺院のなかにブドウ酒をそそいで神とフラグに感謝する。辻々は祝賀の行列であふれる。この行列のなかには、誇らしげなヘトゥームやボエモンの姿も見られた。

ついに地中海へ

モンゴル軍は次いでパレスティナに入り、サマリア、ナブルス、さらにエジプト領のガザを奪取する。ついに地中海の沿岸まで、モンゴルの「蒼き狼たち」は達したのだ。

このとき、モンゴル・キリスト教徒同盟のあいだで紛争が起こる。ガザの北からトリポリ伯国に至る沿岸地方はフランク人の「エルサレムなきエルサレム王国」だ。同じフランク人のボエモン六世は、この王国を同盟に引き入れようと努力する。彼にいわせれば、ムスリムに奪われている聖地エルサレムを奪回するという大事の前には、モンゴルと結ぶことは小事にすぎない。しかし、こうした意見に対し、王国の諸侯たちは、モンゴル人は犬より汚らわしく、ムスリムより野蛮な人間だとして、ボエモンの熱弁に耳をかさない。そしてシドンのジュリアン伯は、手勢を率いてパトロール中のモンゴル小隊を襲い、司令官キトブカの甥を殺す。怒ったキトブカはシドンを襲って破壊する。危機を感じたフランク諸侯たちはカイロに救いを求めた。

これより早く、フラグの使者はカイロに向かい、エジプトの全面降伏をうながしている。ところがエジプトのスルタン・クトゥーズは、問答無用とばかり、この使者を斬って捨てる。これは、鎌倉幕府の執権北条時宗が元の使者を斬るより、一五年前のことである。

そのころのエジプトは、サラディンが建てたアイユーブ朝が一〇年前に滅んだばかりで、新興マムルーク朝の基礎はまだ固まってはいなかった。それなのに、この新政権は、どうしてこのように毅然たる態度をとることができたのであろうか？

実は、エジプトには、十分迎撃の用意ができていた。アイユーブ朝最後の英君といわれたサーリフが、綿密な対モンゴル作戦計画を練り上げ、軍の強化に着手したのは、もう二〇年も前のことだ。その強化策の目標として彼がつくりあげた軍隊こそ、バイバルスを含むマムルーク部隊だったのである。

2　破門皇帝フリードリヒ二世

皇帝とエジプト王との友情

しかし、主人公バイバルスはまだ登場しない。このとき彼は三二歳の精力絶倫な軍人で、以後半年たたぬうちに、一躍、中東史の主人公に納まるのだが、どうしてもその前に、スルタン・サーリフの業績を中心とする中東情勢と、まだ十字軍を送り続けていた中世ヨーロッパの情勢とを展望してみる必要がある。

サーリフは一二四〇年、兄の後を継いで、アイユーブ朝第七代のスルタンとなった。兄の前のスルタンは父カーミルである。この二人はシチリアに住む神聖ローマ皇帝フリードリヒ二世（在位一二二〇〜五〇）ときわめて親しい関係にあり、緊密に手紙を交換していた。十字軍戦争時代の最中に、神聖ローマ皇帝がイスラーム世界の有力な王と友好関係にあったとは、ちょっと信じられない話だが、これはまぎれもない事実で、アラブの史家も「皇帝が息子のコンラート、マンフレートとともにローマ教皇から破門されたのは、彼らのムスリムびいきのせいであった」と好意を寄せて書いているほどである。したがってフリードリヒは、ローマ教皇やヨーロッパの君主のなかで、もっとも中東事情に通じていたといってよい。

彼は十字軍の意義にほとんど関心をもっていなかったようだ。一二二八年、破門された身で十字軍へ出発したことがあるが、それは戦うためではなく、調停するためであった。ひとつはカーミルの依頼からである。カーミルはダマスカスの分家と紛争中だったから、この内輪もめを取りまとめること。次にはこのムスリム側とフランク人諸侯との長年の争いを調停し、聖地に恒久的な平和を回復させることだった。彼はこの和平工作に成功する。エルサレム、ナザレ、ベツレヘムの町はフランク人の手に戻り、彼はエルサレムで戴冠した。妻（エルサレム王ジャン・ド・ブリエンヌの娘）の血統の関係で、彼はエルサレム王国の主権者だったからである。

このとき（一二二九）結ばれた平和条約（有効期間一〇年）がもし守られていたら、十字軍という、現代風にいえば「宗教の名を借りた帝国主義的侵略」の歴史はこれで終止符を打ったはずだ。しかし皇帝は破門の身であるうえ、教皇庁の目からみれば、敵との話し合いによるこのような解決方法は、十字軍の精神に反するも甚だしいものだった。教皇対皇帝の戦争が始まり、教皇は軍を送って皇帝の本拠地である南イタリアとシチリアに攻めこませる。教皇の対皇帝十字軍だという現代の史家もいるほどだ。こうした状況は現地のフランク人諸侯を巻きこみ、ムスリム側にも波及して、一〇年の平和は破れる。ムスリム側は一二四四年にエルサレムを奪回して、二度と返さなかった。フランス王ルイ九世に十字軍を率いて出発させる動機を与えたのは、この聖地陥落の報にほかならなかった。

五カ月にわたる西アジア滞在中、フリードリヒはモンゴルにかんするニュースを聞いたであろうか？　このときメソポタミアの東、いまのイランの北にあったホラズム帝国は、チンギス・ハンの率いる遠征軍のために、徹底的に破壊されたあとだった。知識欲のとりことなっていた皇帝のことだから、カーミルの口からじきじきに情報を得たであろうことは、十分に考えられることである。

王冠をかぶった最初の近代人

フリードリヒは一三世紀のヨーロッパを通じて最大の変わり者だった。最高の知識人として宗教よりも科学を信じ、仏、独、イタリア、アラビアなどの六カ国語を自由に話したという啓蒙的な点では、一〇〇年後から始まるルネサンス時代の諸君主の先駆者であり、また「教皇と皇帝とは別の分野で統治すべきだ」という信念からいえば、マルチン・ルターより三〇〇年も先輩だ。後世の歴史家は「王冠をかぶった最初の近代人」と彼を呼ぶ。

彼はドイツ人の皇帝を父親に、南イタリアも含むノルマン系シチリア王国の王女を母親として生まれ、生涯の大半を母の故郷で過ごした。シチリアはギリシア・ローマ時代以後もビザンツ、アラブ、ノルマンという異質な文明が花咲いたところだから、フリードリヒには、これらの諸文明を打って一丸とした、地中海人としての血が濃く流れていた。彼の政治的目標は、神聖ローマ皇帝として中央集権制度を樹立、あわせてこの地中海帝国の首都をローマに置くことであった。

だが、まだ時代は中世である。このような考えが、教皇と相容れないことは、火を見るより明らかだ。彼の三〇年にわたる治世は教皇との権力闘争に明け暮れていたが、その最中に、突如としてバトゥの率いるモンゴル軍が、南ロシアから東欧へ入り、彼の領土であるドイツ東部へ、疾風のように押し寄せてきた。

モンゴル対ヨーロッパ

モンゴル軍は、一二三七年末から四〇年にかけてロシア全土を征服した。一〇年余りのち皇帝になったモンケもこの作戦に参加している。新たなヨーロッパ遠征軍は、いまの言葉でいえば、ドイツ方面軍とハンガリー方面軍の二手に分かれ、前者は王族ハイドゥらが、後者はバトゥみずからが率いた。主な戦闘が行われたのは四一年の春から秋にかけてであるが、結果はヨーロッパ側の惨敗に終わった。ヨーロッパ側からみれば、敵は戦争における驚くべき技術革命をすでに卒業し、身につけていたのである。新兵器と物量に基づく想像外の作戦——それは、ヨーロッパにとっては、かつてのアッチラ大王やアラブ軍の侵入よりはるかに勝る、深刻な衝撃だった。

一例として、ドイツ方面軍とのあいだの決定的戦場となった、ワールシュタット(リーグニッツ)の戦いをながめてみよう。

ヨーロッパ側はシレジア侯を中心とするポーランド諸侯軍とドイツ騎士団から成る連合軍だが、「ポーランド・ドイツ連合軍」と名乗るに足る、統一した指揮系統があったかどうかは疑わしく、いわば寄せ集めの軍隊だった。また装備からいえば、騎兵が主で、これが、中世を絵に描いたような鉄の鎧の騎士である。矢は立たないという強味はあるが、機動力に劣って、小回りが利かない。歩兵部隊をもってはいるが、これは、領主たちから徴集された農民を主とするにわかづくりの兵隊で、混戦となるとたちまち右往左往するほか能がない。

これに対するモンゴル軍は、全員が騎兵。しかも経験豊かな兵士である。装備は皮の鎧であるうえ、背中はむき出しという軽装だ。これはヨーロッパ側の重装騎兵に対し、圧倒的な機動力を発揮する。さらに各人が何組かの替え馬を用意し、当時の最新兵器だった弓を持つ。もうひとつ、つけ加えれば、一二万という騎馬の大軍。怒濤のように、矢を注ぎながら押し寄せるその密集陣形……。これに対し、個人の戦功を重んずる中世騎士道は、ひた寄せる無名の戦士集団のヒヅメのもとに踏みにじられるほかなかった。

戦場の駆け引きをながめよう。モンゴル軍の作戦の妙は驚くばかりだ。遠征軍にはロシア作戦による豊かな経験がある。そのうえ、スパイを縦横に放つ情報収集活動により、戦闘開始以前に、敵が寄り合い世帯であることを知っていた。これに対するヨーロッパ側は、情報活動が皆無で、敵がどういう人種なのかさえわからない。相手を知る者と知らざる者との戦いはどんなふうに展開したか。

ワールシュタットの平野に、モンゴル軍はおとり部隊を出して陽動し、負けたと見せて逃げ出す。功を焦ったドイツ騎士団は深追いする。気がついたときは両側に隠れていた本隊に脇腹を突かれ、あわてふためくところをおとり部隊が回れ右して攻めかかる。これが総崩れの始まりで、乱戦のなかで総大将のシレジア侯ハインリヒも首級をとられた。

ハンガリー軍の場合はまだましだったが、結果が惨敗だったことに変わりはない。ハンガリー人は早くからキリスト教に帰依し、定着民族になってはいたが、もともとはトルコ系の遊牧民族だ。しかも国内には、南ロシアからモンゴル軍に追われて逃げこんできた、同じトルコ系のキプチャク人が多い。情報は豊富である。ところが、国王ベラ四世は首都ペスト（現ブダペスト）防衛のため、ハンガリー・キプチャク連合軍を率い、都を打って出て、広茫たる草原に敵を迎えるというヘマをやった。いかにわが方には祖先の血が流れるとはいえ、相手は無敵の「現役兵」だ。ハンガリー全土は制圧され、ベラは追われてアドリア海の小島に逃げこむ始末だった。

教皇対皇帝の「熱戦」

一二四一年三月、ローマ教皇およびヨーロッパの君主たちに急を告げたのは、このハンガリー王ベラである。ヨーロッパの人々は、フリードリヒの言動に注目した。なぜなら、彼は神聖ローマ皇帝として、政治上最高の権力と武力をもっているからだ。

しかしそのころ、教皇対皇帝の「冷戦」は、すでに「熱戦」へ激化しており、教皇はフリードリヒを再度破門に処したばかりだった。ベラから手紙を受けた諸君主のなかで、フリードリヒほど、モンゴルが起こした世界征服戦争の脅威を、的確にとらえた者はいなかったろう。彼はモンゴルとは何者かも、彼らの用いる戦法がどのようなものかも知っていた。事は急を要する。対モンゴル十字軍を編成するには、教皇がまず破門を取り消し、祝福を与えて皇帝を出陣させることが、当時のヨーロッパでは必要だ。皇帝の剣と教皇の祈り――この二つがなければ中世ヨーロッパは立ち上がれない。一刻も早く和解するか、さもなくば一時的なたな上げはどうなのか？

　だがフリードリヒは出陣できない。教皇の出方に希望的観測がもてなかったからだ。彼はドイツ諸侯を決起させるため、長男コンラートをドイツに派遣、そしてベラにはつらい思いで、自身は出撃できないが、援軍はすぐ差し向ける、との返書をしたためる。南イタリアを留守にしたら、そのあいだに教皇が何をするかは、かつて彼が十字軍に出かけたときの例で証明ずみではないか。教皇にとっては、こちらから破門を解く前に、フリードリヒが罪を悔いて教会にひれ伏すことが先決だった。ベラからの要請後三カ月たって、教皇はようやく返書を送ってベラを激励、同時に対モンゴル戦を行うすべてのものに十字軍と同じ条件の贖宥《しょくゆう》を約束したが、このときベラはすでに大敗していた。

　一方、フリードリヒはヨーロッパの君主、諸侯にモンゴル情報の雨を降らせる。彼らの性格、生活慣習、体つき、その戦法などを手はじめに、彼らの起源と歴史を説いたうえで、世界征服という彼らの目的まで論じ、共通の敵めざし、「帝国の鷲《わし》」がいっせいに襲いかかることをうながしたのである。かくて、ドイツはコンラートの旗のもとに編成され、この一二歳の少年は、全軍の先頭に立って出陣した。しかし、各国の王や諸侯たちは、モンゴルの脅威が身にしみてわからなかったし、教皇対皇帝の争いの渦から抜け出すことができなかったから、腰が重く、とてものこと、新たに始まるべき戦いに間に合うはずがなかった。そこで、恐るべきモンゴルと、逡巡するヨーロッパとのあいだに立ちはだかって強敵に相対したのは、モンゴルの大軍からみれば取るに足らぬ、コンラートのドイツ部隊だけだったのである。

モンゴルにヨーロッパ征服の意志があったならば、前述のような政情から、この小部隊をけちらした後、彼らはやすやすとフランスの心臓部にまでも達することができたであろう。だが、ドイツ部隊と対決したとき、なぜかモンゴル軍はきびすを返し、ほとんど戦うことなく、引き揚げて行った。見るからに新手と思われるコンラートの軍を戦場に認め、その背後に大軍ありと思ったためかと、推測している西側の史家もいる。また、モンゴル側にははじめから西欧征服の意志がなかったためとみる者もいる。とにかく、その後モンゴルのドイツ方面軍は、バトゥの本隊と合して西進するようなことはなかったのだから、西側から見れば、ヨーロッパはコンラート軍の出現によって救われたことになる。

しかし、当時にあっては、ヨーロッパの危機が去ったことはわからない。フリードリヒは教皇との交渉に全力をあげる。

皇帝はローマへ進撃したが

ちょうどそのころ、フリードリヒが中東に送った特使が、満足すべき成果をあげて戻ってきた。

前年、エルサレムが陥落したとの報告を受けて、彼の心はいたんでいた。ムスリムとの平和は、彼が一二年前じきじき現地に出かけ、エジプトのスルタン、アル・カーミルとのあいだに締結したものだ。その結果、彼は聖地を回復したのである。しかるに、「コンラートを除いては、この世でいちばん親しい友」であったカーミルが死去したと聞く間もないように、平和が破れたとの報である。フリードリヒは、平和の回復とその条約の延長を取り決めるよう、特使を派遣したのだった。新たにスルタンとなったばかりのサーリフは、父親と皇帝とのあいだの友情を継続する意思を特使に伝え、平和の回復に努力することを約したという。

特使は――それは彼の義弟にあたるイギリスの貴族コンウォール公爵だったが――聖地についてのこの「朗報」を教皇にもたらし、フリードリヒに対する破門を解く手段としようとしたが、教皇グレゴリウス九世の反応は冷たかった。教皇の態度は九六歳というその年齢から多分に来ている。いわば「老いの一徹」だ。教皇としては、この先短い命だと知ればこそ、目の黒いうちは皇帝に頭を下げたくなかったのだろう。しかしモンゴルの来襲は切迫しているように思え、この情勢はフリードリヒに幸いした。彼の側に転じた有力な枢機卿もローマ進撃をすすめる。ついにフリードリヒは進軍を開始した。ローマへ無血入城し、教皇を屈伏させ、神聖ローマ帝国の首都を現実のものとして定め、かくて天下に号令するのである……。

ところがローマを数キロメートルのかなたにのぞんだとき、教皇は急死してしまった(一二四一年八月）。彼はフリードリヒに対する破門をついに解かず、初志を貫徹したことになる。破門されたままの身では、対モンゴル十字軍の先頭に立って号令を下すことはできないのだ（このとき教会側にも混乱があり、皇帝に味方する教皇は立たず、インノケンティウス四世が就位するのは二年後のことだ。彼は中部フランスのリヨンに亡命、一二四五年、ここで公会議を開いてフリードリヒの破門を再確認したうえ、皇帝廃位まで宣言する）。

一方、同じ年の一二月、モンゴルでは皇帝オゴタイ・ハンが死んだ。遠征軍は潮の引くように退いてゆく。しかしバトゥは自分の反対するグユクが帝位に就こうとしているのをみて帰郷をあきらめ、一二四三年、南ロシアのヴォルガ川流域にキプチャク・ハン国を建設、ロシアを属領として搾取した。このハン国は、のち一四八〇年まで、つまりコロンブスの「アメリカ発見」の少し前まで存続する。ロシアがヨーロッパ的でなくなるのは、バトゥの遠征と、それに続くキプチャク・ハン国の成立のためであった。

バトゥは一二五六年（一二五五年とも）に病死し、その後一〇年間王位に就いた弟のベルケは、在位中にイスラームに帰依した。モンゴルの諸王朝のなかで、いちばん早いイスラーム化である。やがてこのことは、バイバルスの外交政策に大いに幸いすることになってくる（後述）。

3　聖地の鍵はエジプトに

サーリフ、モンゴルに備える

エジプトのスルタン、サーリフは、フリードリヒと友好を保っておけば、十字軍の恐れはあるまいと信じた。そこで、病身の彼が死亡するまでの一〇年足らずのあいだ、全精力を集中したのは、モンゴルの襲来に備えて万全の策を講ずることであった。

まず、軍の再編が何よりの急務である。暗殺がはびこる中世では、ふた心のない親衛隊の存在は、わが身の安全のために、なんといっても必要だ。サーリフは第一歩としてそこから始め、先王のマムルーク親衛隊を全員入れかえる。

マムルークとは、アラビア語で「持つ」という動詞の受け身形から派生した名詞で、ふつうは「持ちもの」を指す。やがて王あるいは太守の「持ちもの」すなわち「奴隷」となり、これが武装すれば「私兵」ともなる。サーリフはこのマムルーク部隊をもって軍の中核とした。これはまさに画期的な兵制改革だったが、その意味を説明する前に、もう少しマムルークについてふれよう。

イスラーム世界における主人と奴隷との関係は、アメリカにおけるそれとはまったくちがう。

『千一夜物語』を見れば、才色兼備の女奴隷が神学の大先生をやりこめる話をはじめ、さまざまな奴隷の話が語られているが、アメリカの場合に比べてはるかに開放的なところが特徴だ。主人と奴隷との関係は従属関係というよりは血縁関係に近かった。マムルークたちは主人の名をもらって自分の姓にするのがふつうだし、主人の子どもたちと同じ教育を受けた。また、いちばんすぐれたマムルークは家長として主人の後を継ぐことも多かった。当然彼らも不動の忠義をもって主人に仕え、主人のために戦うことになる。

マムルークを単なる奴隷でなく私兵として用いることは、『千一夜物語』の主人公たるハールーン・アル・ラシードのころ、すでに記録に見えている。彼らは主に中央アジアから送られてきたトルコ系の奴隷で、なかには将軍になったものもいた。アッバース朝の歴代カリフは、ハールーンの例にならい、アラブ人やイラン人よりもこのトルコ系の兵士に信用を置き、親衛隊を彼らで構成する例が多かった。

サーリフも先例に準じて、尚武の気象に富むトルコ民族を選んだのだったが、それもキプチャク人のクマン族だけにしぼったところに独創性がある。

キプチャク人の原住地は、シベリアのイルティシ、オビ両大河の流域と考えられ、一一世紀の中ごろ、他の部族から離れて西への移動をはじめ、やがて南ロシア平原における強力な遊牧勢力となった。しかし一二二〇年代に、チンギス・ハンの長子ジュチの率いるモンゴル軍に紛砕され、モンゴルの嵐がいつ再び襲来するかとの不安に常におびえていた。

果たしてモンゴルの遠征軍はまたやって来た。ジュチの息子バトゥを長とするロシア・ヨーロッパ遠征軍は、父親時代の規模をはるかにしのぐ大軍だった。キプチャク人は西へ逃げたが、クマン族はモンゴルに臣従する遊牧民族ブルガル人の甘言にかかって大量の捕虜を出した。そのころブルガル人は奴隷貿易でかせいでいたのだ。こうして中東の奴隷市場はクマン人であふれ出す。サーリフがこのクマン人を選んだのは、彼らが生まれながらの騎馬民族であり、弓矢に長じ、しかもモンゴルに対する復讐心に燃えていたからである。

バイバルスは、こうして南ロシアの草原から売られてきた奴隷の一人だった。

バイバルスの前半生

ルクヌッディーン・バイバルスの生いたちには、モンゴル軍が残したつめ跡が深く刻まれている。

キプチャクの草原に、クマン族バラリー氏の一員として彼が生まれたのは、一二二八年ごろといわれる。チンギス・ハンが死んだ翌年である。したがって彼の両親および一族は、この恐るべきモンゴル皇帝の長子ジュチの大軍のため、散り散りに逃げまどっていたころだ。ヴォルガのほとりでようやく一〇歳をすぎ、早くも一人前の騎手になったころは、バトゥの率いる遠征軍の再来だ。一四歳のころブルガル人の手から奴隷商人に売りわたされ、中東の市場を転々とする。だが、これといった買い手がつかない。つむじ風のようなモンゴル軍通過のあとでは、中東の奴隷市場はいわばインフレ状態だったからである。

おまけにバイバルスは白内障（そこひ）にかかって片目を失明していたから、そんな子ども奴隷など、商品価値はゼロに近い。小アジアからシリアのアレッポ、次いでダマスカス。ここで金銀細工師に買い取られたが、間もなく「こんな片目では使いものにならぬ」とのクレームで返され、友人と二人、奴隷商に連れられて、この両市の中間にある古都ハマへ。ここでようやく運が開けた。スルタン・サーリフのマムルークで、アミールであったブンドクダーリという男が彼らを買ってくれたからである。

ブンドクダーリという言葉は「弓兵」という意味だ。おそらくスルタンの命名によるのだろう。この男はスルタンに左遷されてハマに住んでいたのだが、キプチャク人二人が売りに出ていることを知り、これを求めた。スルタンがクマン族のキプチャク人を求めていることを彼は心得ていたし、自分もその姓が示すように、弓と馬の専門家だ。彼らはその面からの値踏みに合格した。やがて二人はスルタンの怒りがとけた新しい主人とともに、中東の経済、文化の中心として栄えているカイロにおもむく。

一二四六年、一八歳のとき、バイバルスはスルタン・サーリフのマムルークとなる。並はずれた巨漢、絶妙の馬術、見るからに将の卵にふさわしい気質などがサーリフに注目されたのだろう。バフリ部隊に入れられた彼はみるみる頭角をあらわし、二〇歳で連隊長くらいの地位に任じられたほどだ。彼が当代きっての猛将として史上に登場する対十字軍戦争は、もう目の前に迫っている。

ここで、バフリ部隊とは何かを説明しよう。「バフル」とはアラビア語で「海」を指すが、カイロでバフルといえばナイル川のことである。市内を貫くナイル右岸に近く、ラウダと呼ぶ島がある。このラウダにサーリフは兵営を築き、彼のマムルークの養成機関としたので、町の人々はこのマムルークたちを「バフリ」と呼んだ。「川の人」という意味である。ここは騎兵学校と兵営を兼ねたようなもので、有事の場合はそのまま軍の中核となる。

サーリフはここで徹底的にモンゴル戦術を仕込んだ。無敵といわれるモンゴル軍の侵略をはね返すには、少なくとも彼らと同じ装備、同じ技術に精通しなければならない。そのためにこそ、彼は兵士としてキプチャク人を集めたのだ。当時アラブ軍の騎兵は突撃専門だった。ところがモ

騎射に巧みなマムルーク兵

ンゴル軍は、そのほかに、馬上から弓を射る騎射部隊をもっていた。これこそモンゴル軍が開発した最新の戦術である。サーリフはこの騎射部隊の養成に全力を注ぎ、また一〇人隊、一〇〇人隊というふうに、これもモンゴルを真似て一〇進法を採用した。

バフリのもうひとつの特徴は完全にサーリフの私兵だったことである。約一万といわれる大部隊を個人の力で養うには、膨大な財力が必要だが、その点サーリフは恵まれていた。ローマ時代以来ヨーロッパ人がのどから手の出るほど欲しがるスパイスは、インドおよび南の島々で産するが、当時のスパイス・ルートは紅海からエジプトを経由、アレクサンドリアの港からヨーロッパへ、ヴェネツィア、ジェノヴァの商人たちによって運ばれていた。サーリフのふところは、その通過税でたっぷりふくらんでいた。当時のエジプトは、ヨーロッパを含む地中海沿岸諸国のうち、もっとも裕福ではなかったか。

こうしてサーリフは忠誠無比の精鋭部隊の養成に成功した。のち彼は王宮を離れてバフリに寝泊まりするほどの気の入れようだった。

モンゴルの代わりにフランス軍が

かくてバフリ部隊が、シリアやパレスティナで起こった紛争で、サーリフの期待にこたえはじめたころ、神聖ローマ皇帝フリードリヒ二世の密使がカイロに着いた。一二四八年夏のことで、皇帝の侍従ベルトーと名乗るこの使者は、商人に身を変えて、だれにも怪しまれることなくサーリフに皇帝の親書を届けた。このころ、肺を侵された彼の病状は相当悪化していた（彼の余命はあと一年とわずかしかない）。熱にふるえる手で開いてみると、なんと、フランス王ルイ九世が聖地奪回のため、十字軍を率いて出発したとの重大情報である。聖地問題では常に平和主義者であった皇帝は、ルイに忠告して出陣を思いとどまらせようとしたが果たさなかった。一方、当時中部フランスのリヨンに住み、皇帝の廃位宣言まで行った教皇インノケンティウス四世は、もっとも信頼しているフランス王に長期不在されては、フリードリヒに何をされるか不安なので、同じく出発を延期させようとしたが、夢のなかで神の啓示を受けたという、敬虔無比のルイの決意をひるがえすことはできなかった。

寄せ集めの部隊ではなく、フランス人だけの部隊がやってくる——それが十字軍史上におけるこの遠征軍の特徴だったが、それだけに、サラディンの血を引くアイユーブ朝にとっては、彼の死後訪れた最大の脅威といってよい。モンゴルに備えていたエジプトは、本来の目標と戦う前に、ヨーロッパとまたもや対決しなければならなくなった。

モンゴルの「お家事情」

ところで、そのころのモンゴル情勢はどうであったか。スルタン・サーリフのもちろん知らぬところで、情勢は危機を告げていた。チンギス・ハンには、年齢順にいって、ジュチ、チャガタイ、オゴタイ、トゥルイの四子があったが、このうちジュチ、トゥルイ両家の同盟対オゴタイ家の争いのため、モンゴル帝国は分裂寸前にあったのだ。

一二四〇年代に入ると、各家ともチンギス・ハンの孫の時代となる。最年長、最有力、しかも、もっとも武勲に輝いていたのは、ジュチの息子でキプチャク・ハン国を興したバトゥだ。残る三家の長子（つまり、バトゥのいとこ）はブリー、グユク、モンケで、ともにバトゥの総指揮のもと、一二三七～四二年のロシア・ヨーロッパ遠征に参加した。この戦陣中、ブリト、グユクの二人はバトゥと不和になり、遠征なかばにして軍を返し、帰国してしまった。一二四二年のはじめ、皇帝オゴタイ死去の報を聞いたとき、この皇帝からも愛されて後継者に指名されていたトゥルイ家のモンケを、バトゥが推挙して急遽帰国させたのは当然のことだろう。しかし皇后の五年間にわたる暗躍が功を奏し、一二四六年、息子のグユクは第三代皇帝として即位することができた。グユク対バトゥ、モンケの不和は決定的なものとなる。

三年足らずのグユクの治世はこの内紛に明け暮れた。バトゥはモンケ支援のために軍を率いて東進し、グユクもこれを迎え討つため西進する。内乱寸前の情勢は、フランス王ルイ九世が十字軍に出発した一二四八年、グユクの病死によって最悪の事態をまぬがれた。皇后の摂政期間中、ジュチ、トゥルイ両家は力を合わせ、ようやく三年後の一二五一年、モンケを皇帝に就かせることに成功した。したがって、このころモンゴル帝国には外征の余裕などなかったのだ。

4　デルタの決戦

フランス軍、カイロをめざす

一二四八年秋、キプロスに渡ったルイ九世は、ここで越冬して兵馬に十分の休養を与えると同時に、後続部隊の到着を待った。エジプト側が待ちかまえているとは露知らぬ身の上だったが、ルイは聖地奪回に本腰を据えていたわけである。

島に上陸して間もなく、彼のもとに、イランのモンゴル軍司令官イルチカダイからの使者が訪れ、聖地奪回のため共闘しようとの申し入れを行った。この司令官はネストリウス派のキリスト教徒だった。宗教上の立場から、ルイの遠征を援助しようというのである。ルイがこの申し入れに関心を示したのは当然だろう。三年前、フリードリヒの皇帝廃位を宣言したリヨン公会議では、モンゴルについての情報収集や教化活動の実施などが取り決められていたではなかったか。ルイはただちに修道士アンドルーを答礼使としてイランとモンゴルに派遣する。

しかしイルチカダイの外交折衝は、はたしてグユクの意思によるものだったろうか？　その判定にルイは苦しむ。アンドルーがモンゴルに入ったとき、すでにグユクは死んでいたのである。

のちルイが第二回目の使節として送ったルブルックに対し、新帝モンケはイルチカダイの使者の正当性を否定している。イルチカダイはそのとき起こった皇位継承紛争において、熱心なグユク派、つまりオゴタイ系の将軍だったようだ。

このような外交攻勢を打った後、ルイは翌四九年六月、三万六〇〇〇の大軍を率いてナイルの東の河口にある港ダミエッタに上陸する。エルサレムの鍵はエジプトにありという政治的目的と同時に、カイロを屈服させればスパイス・ルートを独占できるという、経済的目的もあったことは確かである。そのころのアレクサンドリアにはフランク、ヴェネツィア、ジェノヴァなど、三〇〇〇を越すヨーロッパ系の商人が住んでいた。

フランス軍の行動は戦略的に正しかった。スルタン・サーリフは応戦のためダミエッタの南西七〇キロメートル、ナイルの東岸に面する要衝マンスーラに大本営を構えた。ここを突破されれば、あとはデルタの平野がひろびろと続き、カイロまでは三〇キロメートルの行程にすぎない。サーリフはそのころ肺患のうえ、大腿部に潰瘍ができて、足はむくみ、歩くことさえできなかった。国軍の最高司令官であるスルタンの重病は、当然軍の士気にも影響する。フランス軍がほとんど無傷のままのダミエッタを占領できたのはそのためである。

ただし、戦争するに当たって、エジプト側には天の時と地の利があった。地の利とは、敵をホーム・グラウンドに迎えたことで、また天の時とは、フランス軍の上陸が、ナイル川のはんらん期の直前に当たっていたことだ。フランス軍はなぜ八カ月もキプロスで休養していたのであろう。嵐のため遅れた艦隊の到着を待ち、陣容を整備しているうちに、ナイルの水かさは刻々と増して行った。ルイは将軍たちの意見をいれ、ダミエッタで夏を送り、再び鋭気を養うことにした。一二一八年の夏、同じダミエッタから攻めのぼった十字軍は、マンスーラで指揮をとるスルタン・カーミルの堤防決壊戦術により惨敗、降伏せざるを得なかった。ルイはその二の舞いを演じたくなかったのである。

サーリフの死、そして奇襲

ダミエッタ陥落の報は、カイロに一種の恐慌を巻き起こした。カイロもこのように陥落するのではないか？　病床にあったスルタンは最後の気力を振りしぼり、士気の高揚をはかった。ダミエッタ防衛の責任ある将校五〇人をカイロに呼びつけ、即時処刑したのはそのためである。こうして彼はカイロから軍船に乗り、マンスーラに向かった。それはダミエッタ陥落の四日後というほどの敏速ぶりだった。

マンスーラとは「勝利者の町」という意味で、三〇年前、彼の父カーミルが十字軍に対決するために築き、縁起をかついで命名した町だ。サーリフはダミエッタのルイ九世とは平和解決のための折衝を続けるかたわら、マンスーラを強固な要塞都市に築きあげる努力を重ねた。ナイルの増水がどれほど彼の最後の事業を助けたかは、測り知れないものがある。

ダミエッタの十字軍は、増水もようやく盛りを過ぎたのを見て、進撃の準備を始めた。目標を経済の中心アレクサンドリアにするか、政治の中心カイロにすべきかで意見が二つに分かれ、王弟ロベールの強引な少数意見が通ってカイロに決まった。ロベールはこの十字軍につきまとう疫病神のようなイノシシ武者で、間もなくその命を代償にして、無定見の支払いをすることになる。

十字軍は一一月二〇日、ダミエッタを出発した。

スルタン・サーリフが四四歳の生涯を終えたのは、その二日後、二二日の未明だった。彼は祖父の兄サラディンのクルド系の血統よりも、スーダン人だった母親の血を濃く受けていたといわれる。色黒く、髪は縮れている点ではまったくスーダン的で、高慢、無口、冷酷であり、文芸などとは無縁の存在だった。しかし同時に、竹を割ったような性格で、約束は必ず守り、軍議に際しては顧問官や将軍たちの意見をただしたあとでしか決断を下さなかったともいわれる。バフリ

サーリフ廟（カイロ）

部隊の育成に成功したのはこのためである。

臨終をみとった王妃のシャジャルッ・ドル(「真珠の木」という意味)は、ひそかに前線司令官のファクルッディーンら二、三の重臣を呼び寄せ、夫の死を告げた。継子で皇太子のトゥーランシャーはアイユーブ朝版図の北限ディヤルバクル地方にあって辺境の守りを固めている。そこで衆議一決、急遽彼を呼び寄せること、それまではファクルッディーンが臨時摂政に就くこと、そしてこの危機に際し、皇太子の到着まではスルタンの死を伏せること――の緊急対策が立てられる。味方をもあざむくため、臨時の王宮には三カ月近くサーリフへの食事が用意され、ひそかに処分されるのだった。

それでも、スルタン死すの情報を十字軍側はつかんだらしい。進撃するにつれ、スパイ合戦は激しくなったのだ。運河を隔て、マンスーラの対岸に着いた十字軍は、六週間がかりで陣地を構築、アラブ側に土着キリスト教徒による裏切りがあって浅瀬のありかを教えたので、一二五〇年二月八日の早朝、王弟ロベールは騎馬の精鋭を率いて運河を越え、一挙にマンスーラ郊外の前線に討ってかかった。

完全な奇襲だった。朝風呂にはいっていた司令官ファクルッディーンは、敵襲ときいて鎧を着るひまもなく、愛馬にまたがって飛び出そうとするところを、十字軍に取り囲まれて戦死した。将を失ってエジプト軍が総崩れになるのは、対岸からも手にとるようにわかった。奇襲の成功を見て取ったルイ九世は、ロベールに引き揚げの命を下す。

しかし血気にはやる王弟は、一挙に敵の本営を突こうとして、いまやとどまるところを知らぬ勢い。兄の再度にわたる制止も、側近の慎重論にも耳かたむけず、疲れた馬に拍車をかけて追撃に出る。「かくては」と奇襲部隊は敗軍を撤収するために開かれた城門のひとつから、マンスーラ市内に突入した。王弟に続く決死隊は、その数二九〇騎。

バイバルスの反撃、形勢逆転

逃げ回る敵兵を蹴ちらし、蹴ちらし前進すれば、王宮はかしこに望まれる。「今こそイスラームにとどめを」と思った瞬間、王宮のあたりから、ラッパ、シンバル、ドラムなどの響きがいっせいにあがった。「これは」と思う間もなく、矢を雨のように射かけながら、湧きあがる黒雲のように新手の騎兵が四方から攻めかかる。これこそ、二二歳の隊長バイバルスの率いるバフリの親衛隊だった。戦況は一変。分断された十字軍騎士たちは迷路のような街路に追い込まれる。と、民家の二階の窓が開かれて、ベランダから熱湯や石の雨が降りかかる。道の出口は丸太や柵でふさがれて逃げ場がない。

「フランス王を討ち取ったり！」

とマムルークの一人が叫ぶ。どっとあがる歓声。ロベールは王家の紋章をつけていたからだ。

ルイ９世が軟禁された豪族の館（マンスーラ）

王弟に従ったフランスの名だたる騎士は、脱出できた五騎を除いて皆殺しになった。バフリ部隊を先頭に総反撃が始まる。この日の午後から日没にかけ、現場に遺棄された十字軍の死体は一五〇〇を数えた。

マンスーラから始まった戦闘は、同時代の歴史家でのち外交官も務めたイブン・ワーシル（既出）によれば、「ムスリム側の勝利の原点」なのであった。ようやく到着した新王トゥーランシャーは、海軍を強化してマンスーラ―ダミエッタ間の、水路による敵の補給線を断つ。武器と兵糧《ひょうろう》に欠乏し、退却を開始した十字軍は、勢いに乗じたバフリ部隊に追い散らされ、おまけに伝染病がはびこって、手足をもぎとられた形となる。ダミエッタの手前二〇キロメートルのファリスクールでルイ九世はついに降伏（四月）、足を鎖でつながれてマンスーラに運ばれたうえ、有力者の私邸に幽閉された（その家は今は記念館となって残っている）。この退却作戦で十字軍の損害は約三万。「サーリフ王のバフリ・マムルークは、この戦闘において、その勇気と豪胆ぶりを遺憾なく示した。フランク側に甚大な損害を与え、勝利に重要な役割を演じたのは、バイバルスの率いる彼らであった。まさに戦士の鑑《かがみ》というほかない」（イブン・ワーシル）。トゥーランシャーは釈放の条件として、ダミエッタの返還と身代金五〇万リーヴルの大金を要求した。

ところがこの直後、エジプト側に大混乱が発生する。トゥーランシャーがバフリ部隊に暗殺されたのだ。クーデターの首謀者の一人はバイバルス。五月二日の朝、ダミエッタ包囲作戦の本営のファリスクールで、彼がまずひと太刀をあびせ、逃げまどい、追いつめられたスルタンに、同僚のアクターイがとどめの一撃を加えた。アイユーブ朝の滅亡である。新スルタンは王位に就いてやっと二カ月、歳は二五を過ぎたばかりの若さだった。

女性スルタンの登場

バフリ部隊はなぜ団結して反逆行為に出たのか。その原因には、当時のマムルーク制度の硬直性があげられるようだ。

ひとことでいえば、マムルーク制とは、忠誠心の面でタテ組織であるが、融通がきかない。少し飛躍もあるが、この制度を徳川幕府に当てはめてみよう。藩士（一般のマムルーク）は大名（アミール、マムルークからの昇進者）に忠義を尽くし、大名は幕府の将軍（スルタン、たとえばサーリフ）に同じく忠義を尽くす。ところがこの忠誠機構は、将軍が死ぬとガタガタになる。大名は新将軍に必ずしも忠義を誓う義務はないのだ。ただし、藩士は常に大名に忠義を尽くす。となると、新将軍は全軍を把握するためには、この機構のなかでワン・クッションを置かれている大名の動向から目を離すことができない。そうでないと暗殺が日常茶飯事の中世では、安心して夜も眠れないことになる。それゆえにこそ、サーリフは、仲の悪かった兄がつくったマムルーク部隊とは別に、子飼いのアミール、マムルークによるバフリ部隊を編成し、それを軍の中核に置いたのだ。バフリはあくまでもサーリフの私兵だったのである。

トゥーランシャーはサーリフの先妻の子で俊敏のほまれが高かったという。その才能に父が不安を覚えたか、あるいは後妻のシャジャルッ・ドルの差しがねか、辺境の守備に任ぜられ、父の死後帰国したとはいってもエジプトでは新顔で、求める忠義が存在するかどうかわからない。そこで辺境勤務時代の側近やダマスカスで懐柔した文官たちを新政権の首脳として引き連れ（その工作のため帰国に三ヵ月もかかったのだ）、戦局がひとまず片づくと同時に、軍の中枢および内閣の総入れ替えを行った。そして輝く戦果に士気のあがるバフリのアミールたちを軽んじ、解任、投獄も辞せず、バフリそのものをも二義的な作戦区域に左遷した。彼にとってバフリはいちばん危険な存在だったのだろう。当然バフリは憤激し、シャジャルッ・ドルと密議をこらす。奴隷あがりの彼女は、彼らと同じトルコ系の女性だったからだ。

かくて、バフリに推され、シャジャルは王位にのぼる。わずか八〇日間にすぎなかったが、女性が正式にスルタンの位に就いたのは、中東のイスラーム史上空前のできごとで、彼女をマムルーク朝初代の君主に数えるかどうかは、史家の意見の分かれるところだ。バグダードの最後のカリフ、ムスターシムは、認可状のかわりに、皮肉をこめた書簡を送る。「スルタンにふさわしい男性がエジプトにいないなら、こちらから適任者を送ることにしようか」——彼女は以前ムスターシムのハレムの女性だったからだ。

カリフの意を迎えるため、彼女はバフリの長老と結婚する。これがふつうマムルーク朝初代のスルタンとされるアイバクだ。さらに新王朝の合法性を見せかけるため、アイユーブ朝の六歳の王子を共同スルタンに据える。しかし実権は、バフリに推されるシャジャルの手にあった。フランス王ルイ九世とその将兵が、ダミエッタの明け渡しと身代金の支払いという故スルタンの要求に応じ、同年五月釈放されたのは、この女性、シャジャルの名によってである。

5　マムルーク朝の成立

政治的混乱の一〇年

このときからモンゴル来襲までの一〇年間、エジプト、シリアを中心とするアラブ世界は、政治的な混乱期に入る。シリアに残ったアイユーブ朝の君主ナスルは、カリフからスルタンの称号をもらってマムルーク朝と対立したことが第一。またカイロでは新政権の誕生に伴う権力闘争の激化したことが混乱の第二の原因である。それは青年バイバルスにとって、失意と放浪の一〇年だった。

実はここで、マムルークの忠誠問題が再燃したのである。バフリはアイバクよりシャジャルに忠誠を示した。たしかに、スルタン・サーリフのマムルークだったという点からみれば、たとえばバイバルスにとって、アイバクは年をとった先輩ではあるが、主人ではない。そこで、アイバクはまず年少の王子を廃して唯一人のスルタンとなったうえ、シャジャルとその背後にあるバフリを押さえるため、四年がかりで自分のマムルークを養成する。そしてラウダ島にあるバフリの兵営を取り壊し、一同を王宮の兵営に移した後、バフリを急襲する。トゥーランシャーを殺した将軍アクターイも犠牲者の一人だった。敗れたバフリはバイバルスに率いられてシリアに逃れ、ナスルのもとに身を寄せる。こうして、ナスル＝バフリ同盟とアイバクの関係は、一触即発の危機となる。シリア、エジプトの対決だ。

そのころモンゴルのフラグは、すでに暗殺者教団の掃討にかかっている。この脅威をひしひしと感じたバグダードのカリフは、ムスリムの団結を訴えて、仲裁に入る。その結果和解はできたが、アイバクの要請で、ナスルはバイバルスを手放さざるをえない。バフリの度重なる不運をみて、シャジャルはついに夫アイバクを暗殺させるが（一二五七）、彼女もまた夫の前妻にかかって木靴でなぐり殺され、死体を城塞の窓から投げ捨てられた。次のスルタンにはアイバクの息子が立つが、摂政クトゥーズは間もなくこれを廃してみずからスルタンとなる（一二五九年一二月）。しかし、彼はアイバクのマムルークだったからバイバルスと妥協するはずがない。しかも武勇にかけては、アイバクのマムルークきっての猛将なのである。

このころ、すでにバグダードは陥落し、モンゴル軍の次の目的地がシリアであろうことは、だれの目にも明らかだった。スルタン・ナスルは急いでバイバルスを迎え入れる。しかし彼の軍事能力をもってしても、浮き足だったダマスカスを強固な防衛拠点につくりかえることはできない。ナスルの態度さえ日ごとに変わるほどである。バイバルスはナスルを見限り、エジプトへ走る。

シリア、エジプトの対立以来、ガザは両国の国境にある沿岸拠点だ。ここに宿営したバイバルスは、使者をカイロに送り、来たるべき対モンゴル戦の共闘を申し入れる。この未曾有の国難こそ、和解への至上命令だった。クトゥーズはバイバルスの提案を受け入れる。

生き残りのバフリー同にとっては、数年ぶりに見るカイロだった。

対モンゴル迎撃作戦

クトゥーズはバイバルスを司令官に任じ、迎撃作戦を一任、実戦部隊の編成と訓練を命ずる。

バイバルスは、シナイ半島を越え、全兵力をあげてシリアで戦うことを進言した。たしかに、彼ほどシリアの地理にくわしい将軍は、当時のエジプトにはいなかった。

一〇年前アイユーブ朝をくつがえしたクーデター以後、新政権は前述のように血なまぐさい権力闘争を繰り返したが、それは新たな王朝の基礎を固めるための試行錯誤だったということもできる。その生みの苦しみのなかで、マムルーク朝は前王朝の制度を受け継ぎ、文民勢力に対する軍部の優位を確立、挙国一致体制を敷くことに成功した。完全な軍事独裁政権の誕生である。新政権にとって最大の脅威だったバイバルスは、いまやもっとも頼みとするに足る軍司令官だ。

エジプトはひとつに固まった。それは、皮肉なことに、モンゴルの来襲がもたらした貴重な贈り物だった。そのうえ、モンゴル軍はシリアのアイユーブ朝を滅ぼしてくれた。もし、この大敵を破ることができたならば、かつてのように、シリアを版図に加えることはいとも容易なわざではあるまいか？

こうしてクトゥーズ＝バイバルスの双頭政権は、無条件降伏を求めるフラグの使者の首をはね、全軍にシリアへ進撃の命を下した。その数一二万という大軍である。運命の星はこのころからエジプトの上に輝き始める。なぜならフラグは相手方の回答を聞く暇もなく、本隊を率いてイランへ戻らざるを得なかったからである。

急使が彼のもとに本国の重大危機の知らせをもたらしたのだ。ちょうど一年前の一二五九年八月、モンケは中国四川省の陣営で病没した。次弟のフビライがこの春第五代皇帝となったが、末弟のアリクブカも即位を宣言する。モンゴル帝国のお家騒動は、今度はトゥルイ家内部の紛争となった。あいだにはさまったフラグは兄のフビライを支持し、救援に駆けつけようとするが、フビライは遠く内モンゴルにあり、アリクブカは外モンゴルのカラコルムを拠点とし、中央アジアを押さえにかかる。結局フラグはモンゴルに戻れず、イランの西北、アゼルバイジャンのタブリーズに留まった。

ダマスカスを去るに当たり、彼は忠臣キトブカに後事を託し、シリアの維持に当たらせた。キリスト教徒の協力もあり、シリア全土にはモンゴルの支配体制がすでに一応整っていた。そのときの彼には、間もなくキトブカが敗死し、モンゴル・シリアが一朝にして瓦解しようとは、夢にも思えなかったことだろう。

バイバルスは勇躍して前衛軍を率い、カイロを発つ。そのなかには、逃亡兵あがりか、技術指導のモンゴル兵も含まれていたと、アラブの史家は述べている。ガザに駐留するモンゴルの小部隊を蹴ちらし、パレスティナに入ると、先行させていたスパイが戻り、フラグがシリアを後にしたと告げる。バイバルスはただちにこの吉報を後方のクトゥーズに知らせ、この機を逸せず、一挙にダマスカスを突くことを提案する。

気がかりなのは、沿岸地域を細い帯のように領するフランク諸侯の動向だ。フランス王ルイ九世が六年前に去った後、この小さな十字軍国家はもとの内紛状態に戻ってしまい、せっかくの彼の努力もほとんど水泡に帰していた。そして、すでに述べたように、諸侯の一部はカイロへ救援を求めていた。そこでバイバルスからの協力要請に対し、諸侯たちはモンゴルとエジプトの実力を天秤《てんびん》にかけ、激論の末、両者のどちらにも加担しないことに決めた。しかし絶対中立ではなく、エジプトに対し、兵力は貸さないが、領内の安全通過を保証し、通過に際して宿舎と食糧とを提供するという好意的中立である。

アイン・ジャールート

エジプト軍は首都アッカに入城、キリスト教徒たちから温かく迎えられた。時は八月。この地域では暑気と乾燥とがもっとも激しい季節で、昼間は摂氏四〇度にものぼる。シナイ半島の砂漠を越えてきた一二万の大軍にとって、十分な休養のとれることは、なにものにもまさる恵みだった。「ネストリウス派キリスト教徒である老将軍（キトブカ）と結ぶどころか、キリスト教徒の不倶戴天《ふぐたいてん》の敵と手を握るとは」――と、十字軍史の古典的権威であるルネ・グルッセは慨嘆したうえ、彼を敗死させ、聖地をめざすモンゴル十字軍を壊滅させた張本人こそ、このフランク諸侯のエゴイズムだと当たりちらしている。実際彼らのなかには、もしエジプトが勝ったら、分捕ったモンゴルの馬を安値で売ってくれと、バイバルスに持ちかけた連中もいたのである。

さて、休養によって士気あがるエジプト軍は、索敵を続けながらダマスカスに向かう。フランク側の好意は、エジプト軍にもうひとつの利点をもたらした。フランク領土の自由通過により、そのことを知らぬモンゴル軍の陣地を迂回することができたからである。そこで、アッカから南東にくだり、イエスの故郷ナザレを過ぎ、東進してヨルダン川を越え、そこからダマスカスへ北上しようというわけだ。その途中、ナザレの南約一〇キロメートル、アイン・ジャールートのほとりで、キトブカの率いるモンゴル軍の本隊と遭遇した。一二六〇年九月三日のことである。

ここはハモーレとギルボアの丘陵にはさまれ、ヨルダン川の支流ハロド川が水の涸れた渓谷を乾いた砂の原に刻みこむ。旧約聖書によれば、サウル王がフィラスティン人と戦ったところである。フィラスティンとは現在のパレスティナという地名の起こりで、この地域に住みついた海洋民族だ。旧約聖書ではペリシテ人。ダヴィデに投石器で倒されるゴリアテはこのペリシテ人で、アラビア語でアインとは泉、ジャールートとは、この巨人ゴリアテのことである。

この「巨人の泉」のほとりを守るモンゴル軍は、総数三万とも六万ともいわれた。数の上ではエジプト軍が圧倒的に優勢だが、モンゴル軍には百戦百勝、絶対不敗の信念がある。ただ、この会戦が、両軍ともモンゴル式戦術と装備による、いわば世界の最強同士の対決であることに、キトブカは気がつかなかった。バイバルスの進言をいれ、クトゥーズはエジプト軍を二分し、みずから一軍を率いてモンゴル軍に討ってかかるが、たちまち相手の猛攻の前に浮き足立って退却する。キトブカは「エジプト軍など、ひとひねり」のつもりで追撃にかかる。すでに勝敗は決まったように見えた。

　ところがバイバルスは残る一軍を率い、ハロド川の渓谷を利用、巧みに隠して、戦機の熟するのを待っていた。ころやよし、バイバルス隊は敵の背後に回り、命令一下、騎射部隊を先頭に、人馬一体の密集隊形でハムシーン（砂漠の嵐）のように攻めかかる。クトゥーズの本隊も急転回して騎首を立て直す。モンゴル軍は完全にモンゴル戦法による包囲攻撃を受けることになってしまった。

　これほどの完敗は、おそらくモンゴル遠征史を通じてなかったのではあるまいか。ついにキトブカは捕虜となり、クトゥーズの前に引き出された。

「あまたの国を滅ぼしたあげく、ついに、わが罠にかかったな」とクトゥーズ。

「束の間の勝利に酔うなかれ」と敗軍の将はうそぶく。「生を受けてこのかた、われはハンのしもべであった。なんじらのように、あるじを殺すやからとは、人がちがうわ」。

　いいも終わらず、キトブカの首は地に落ちた（グルッセが引用するこの会話は、フラグが建設したイル・ハン国の史書に依っている）。

バイバルスの即位

　ダマスカスは数日を待たずして陥落した。モンゴル軍は敗走に敗走を重ねてユーフラテス川のかなたに消え、北シリアの要衝アレッポもバイバルス自身によって解放された。サラディン時代の版図をマムルークのエジプトは回復したのである。無敵のモンゴル軍を一撃のもとに倒したこの大勝利の報は、イスラーム世界に野火のように広がり、マムルークの軍隊は救済者のように迎えられた。クトゥーズは荒廃したシリア全土に秩序を回復させ、エジプトへ勝利の凱旋を行う。

だが、彼はカイロに帰還できない。デルタの平野をあと一日の行程にのぞむ小オアシスで、バフリのクーデターにあって暗殺されてしまったのだ。首謀者はもちろんバイバルスだ。それはアイン・ジャールートの会戦からわずか五〇日目のことである。

理由はなにか。バイバルスは論功行賞としてアレッポ太守の地位を要求、これを拒否されたのを恨んでの凶行だと史書は伝える。バイバルスにとって、この要求は当然だったかも知れない。アレッポはダマスカスに次ぐシリア第二の都。モンゴルの脅威からシリアを守るもっとも重要な要塞だ。この都市を守るに彼ほどふさわしい人材はなかったであろう。

しかし、クトゥーズにとっても、拒否したことには一理ある。シリアはようやくエジプトの旗のもとに再統一されたばかりだ。モンゴルの脅威が去ったいま、この猛将をカイロからいちばん遠いところに置くことは、まるで虎を野に放つようなもので、シリアはバイバルスのものになってしまうかもしれぬ。そもそも、サラディンが興したアイユーブ朝のふるさとは、このアレッポではなかったか？

バフリ・マムルーク朝の系譜

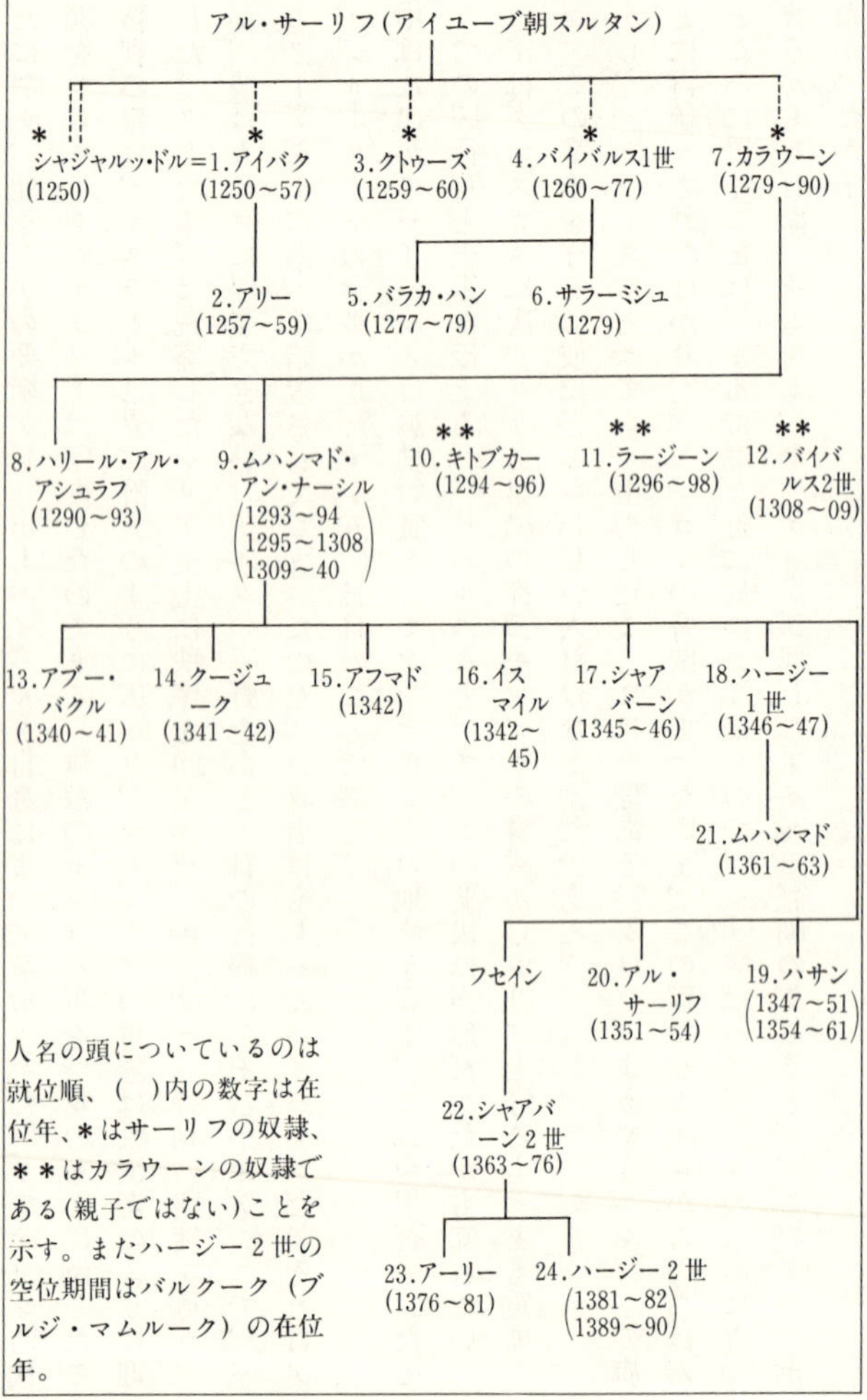

人名の頭についているのは就位順、( )内の数字は在位年、*はサーリフの奴隷、**はカラウーンの奴隷である(親子ではない)ことを示す。またハージー2世の空位期間はバルクーク(ブルジ・マムルーク)の在位年。

一年前、モンゴル軍の重圧が、イスラームの防衛のため、この仇敵同士を和解させた。同じ重圧下にも和解できなかった教皇対皇帝の対立とは大いにちがうところだ。しかし、重圧が去ったいま、二人は再びもとの仇敵となってしまった。「両雄並び立たず」という言葉が、この場合、ぴったりと当てはまる。

クトゥーズを殺したその日、バイバルスはスルタンになった。三二歳の若さである。彼の勝利はあまねく知れわたり、感謝の的となっていたから、彼は罪を問われることなく、スルタンとして人々から受け入れられた。軍の中核はもちろんバフリだから絶対忠誠を誓う。まさに、バイバルスによる、バフリ・マムルーク朝の登場である。彼はクトゥーズの属したアイバク系その他のマムルーク族の懐柔に成功して軍をまとめる一方、対モンゴル戦費としてクトゥーズがかけていた重税を廃止して人心を買う。卓抜な政治家として、彼は早くも第一歩を踏み出している。

しかしながら、モンゴルの脅威が去ったわけではない。バイバルスが新政権の基礎固めに忙殺されているとき、すなわち、彼がスルタンとなって一カ月もたたぬうちに、フラグが報復の軍を起こしたからである。

6　バイバルスの時代とその後

戦うこと三八回

惨敗の急使がフラグのもとに届いたのは、彼がアゼルバイジャンのタブリーズで旅装を解いたときであった。彼は中東遠征軍の総指揮官の面目にかけても、雪辱する必要に迫られた。しかし、皇帝モンケ死去の報に伴い、各王家から派遣された軍隊はそれぞれ帰国の途についている。キトブカを敗走させたエジプト軍と戦うためには、新たに兵を徴集し、強力な軍を編成しなおさなければならない。フラグはタブリーズに残って復讐作戦の総指揮に当たることにし、とりあえずイラク方面の駐留軍一万を南下させた。

このモンゴル軍は一二月はじめ、アレッポの城外に押し寄せる。退却した守備隊はハマの守備隊とともにホムスまで下り、この三市連合の部隊でモンゴル軍を迎え撃った。その数六〇〇〇という劣勢である。もし、これがこの春のような状況だったら、ムスリム部隊は手もなくモンゴル軍に踏みにじられたであろう。しかし、いまやモンゴル軍が無敵でないことがわかった。彼らはそれを自分たちの目で見たばかりだ。アイン・ジャールート以後では、ムスリム兵の士気は一変した。それは民族主義の高揚といってもよいだろう。モンゴル軍はホムスの平野で再び惨敗し、アレッポへ退く。バイバルスから急派された援軍は、この勝利の部隊に合流、アレッポからモンゴル軍を追放する。新スルタンにとって最初の危機は、こうして無事切り抜けられた。

フラグの執念を知った彼は、遅れじと軍の強化に専念する。国土防衛という戦略上の立場からみれば、東と北をイル・ハン国に囲まれ、西には動向常なき十字軍国家に接するシリアは、エジプトの安全保障にとって絶対不可欠の存在である。したがって、サラディン時代の例を引くまでもなく、カイロとダマスカスはこの新興国家の首都、心臓とならなければならぬ。そして敵情を常に、一刻も早くつかむためには、両首都間の距離をできるだけ縮める必要がある。その距離は直線で七〇〇キロメートル。宿駅が設けられ、伝書鳩と馬による急報制度が完成した。この結果、ダマスカス—カイロ間は馬で四日の距離となる。情報伝達手段の革新である。

この点につき、軍事国家の長たるにふさわしいバイバルスのエピソードが残っている。当時マムルークの騎士たちのあいだには、馬、槍、あるいは弓など、戦技に基づくスポーツが流行した。なかでも馬を走らせながら球を打つポロ競技は運動量も激しく、それだけにもっとも男性的なスポーツだった。ところで、バイバルスは一週間のうちに、カイロとダマスカスでポロ競技を楽しんだというのだ。ニュースをたずさえた伝令は宿駅で交替するが、バイバルスは馬を乗り継ぐだけで走り通し、その過労も知らぬげにスポーツに興ずることができたという意味である。いかに彼が若さと体力にあふれていたかが、このエピソードによって理解できる。もうひとつ加えれば、一七年間の治世中、モンゴルや十字軍国家と戦火を交えること三八回、その半分は彼自身の指揮によるものだった。年に一度は陣頭に立っていたことになる。

したがって彼の治世は外敵との戦争に明け暮れたといってよいだろう。外と戦うためには、まず内を固めなければならない。民衆の心をつかみ、あわせて自分の権威を広く認めさせるため、彼は絶妙の手を打った。それはカリフ朝の再興である。

バグダードは一二五八年、モンゴル軍に破壊された。以後カリフが存在しないことは、イスラーム世界の深い歎きであった。かつては教権と俗権を兼ねそなえたカリフ。末期においてはスルタン制度が起こって、俗権は彼らの手に移ったが、それでも彼らの即位には、形式的にではあったが、カリフの認可が必要だった。いわば彼らの俗権はカリフの名をいただくことによって普遍性をもったのであって、このことは、二年前のシャジャルッ・ドルの例を見ても明らかだ。成り上がり者のバイバルスが、カリフという存在の必要に思いめぐらしていたとき、まさにうってつけの機会がころげこんできた。彼の武勇の評判を聞き、バグダードの悲劇を免れたカリフ一族が、アフマドと呼ぶ王子を長とし、彼の保護を求めてカイロを訪れたのである。

バイバルスは最高の栄誉をもってアフマドを迎えた。三年余の空白後のカリフ朝再興である(一二六一年六月)。カリフは象徴にすぎなかったが、この制度の復興と引き換えに、彼はいまや合法的なスルタンの位を獲得、「イスラームの英雄」「カリフの協力者」とカリフに呼ばれることになる。

これはバイバルスの地位の確立に役立ったばかりでなく、マムルーク朝の首都カイロが名実ともに正統イスラーム世界の中心となった第一歩でもある。カイロのこの地位は、一五一七年、マムルーク朝がオスマン・トルコ帝国に滅ぼされ、カリフ制がイスタンブルに移されるまで、約二七〇年続く。徳川幕府とほとんど同じ長さである。

合従《がっしょう》と連衡《れんこう》

アイン・ジャールートの敗戦の後、フラグが復讐戦の指揮を直接とることができなかったことには、もうひとつ重大な理由がある。それは彼と彼の従兄に当たるキプチャク・ハン国の王ベルケとの不和である。長兄モンケとベルケの兄バトゥが親密だったことはすでに述べた。しかし、一二五六年にバトゥが死んで代が変わると情勢は一変、ジュチ家とトゥルイ家の紛争となる。このころモンゴルの大帝国内部では、皇帝フビライに対するいわゆるハイドゥ戦争が始まり、中央アジア全体が動乱の渦に巻き込まれた。ベルケはロシア・ヨーロッパ遠征軍に加わったこともあるハイドゥ側に与《くみ》し、フビライ、フラグのトゥルイ家を敵に回した。

それは、キプチャク・ハン国はイル・ハン国とカスピ海の東西両岸で国境を接していたことが理由の第一。そこは牧畜に適した草原だったから、国境紛争が起こるのは当然の成り行きだった。

しかし、不和のもっと大きな原因はベルケのイスラームへの帰依にある。一方フラグの妻はすでに述べたようにキリスト教徒であり、間もなく彼の位を継ぐ息子アバカーの妻はビザンツ皇帝の娘だった。モンゴル内部で宗教紛争が始まったのである。

フラグの遠征軍に対し、モンケの命令のためベルケはやむをえず部隊を供出したが、モンケの死の報に接すると、たちまちフラグの計画阻止に全力をあげるようになり、ただちに供出部隊を撤収させてしまった。ベルケはいまやチンギス一家の最長老で、その威信もまた大きい。フラグは北にも強力な敵をかかえることになり、とてものこと、シリアへ南下する余裕はなかったのである。

バイバルスはただちにこの機をつかんだ。フラグに対するイスラームの「聖戦」を共闘しようというわけだ。彼もバフリ・マムルークも、もとを正せばキプチャク人だ。ベルケは喜んでバイバルスの手を握る。

バイバルスは軍備の強化に励む一方、前王朝の政策を継いで神聖ローマ帝国と友好関係を保ち（フリードリヒは一〇年前に志空しく死んでいたが）、ビザンツ帝国に働きかけ、またフランク諸侯との束の間の平和を維持するなど、打てる限りの外交政策を行っているが、その目的はただひとつ、モンゴルの脅威に対する防衛政策だった。そして一連の外交政策のなかで、もっとも内容のある成功を収めたのが、このエジプト＝キプチャク同盟の締結だった。再興したカリフ朝の首都がカイロにあるということが、バイバルスにも、またベルケにも大義名分を与えたのである。

同盟はたちまちバイバルスに利益をもたらした。それはフラグが第一回と劣らぬほどの新遠征軍を率いて南下した一二六二年春のときだ。シリア北辺に駆けつけたバイバルスは、敵軍の恐るべき規模を知り、アレッポからユーフラテスまで一〇〇キロメートルの距離に広がる大平野を焼き払い、この焦土作戦によって辛うじてフラグの進撃を食い止めたのだった。このとき、共同作戦に出たベルケは、ヴォルガ川のほとりの首都ベルケ・サライを発ち、大軍の先頭に立ってアゼルバイジャンへ侵入する。フラグは急ぎ北方へ転進せざるをえない。一進一退、両軍の戦闘は続く。こうしてフラグはまる二年以上ものあいだ、反復するベルケの出撃に悩まされ、一方バイバルスは対モンゴル戦の準備に専念することができたのである。

一二六四年春、元帝フビライは遠路三万の兵を弟フラグのもとに送った。この新手の圧力のため、ベルケは兵を引いてフラグとの正面衝突を避ける。コンスタンティノープルのビザンツ皇帝も、小アジアを領するルームのイスラーム国君主もフラグと結ぶ。ルームの隣のアルメニア王へトゥーム一世も、その娘婿のアンティオキア公ボエモン六世も、再び軍を率いてフラグに合流する。フランク諸侯もフラグに好意を示し出す。これまでの南北の同盟（合従）に対し、今度は東西の同盟（連衡）に機会がめぐってきたようだった。

フラグの復讐戦、ついに成らず

同年秋、まずヘトゥーム、ボエモンの軍隊とアレッポのエジプト軍が交戦状態に入る。バイバルスはハマ、ホムスの守備隊に応援を命ずる。これが前哨戦で、年が明けるとフラグの大軍が接近しつつあるとの報がカイロへ届く。そのころ、すでにシリアの辺境からダマスカスを経てカイロへ届く情報伝達網は完備していた。バイバルスはただちに軽騎兵四〇〇〇を増援部隊として先発させ、自身は本隊を率いてその跡を急追する。モンゴル軍は当時におけるシリアへの北の門といわれるビラを包囲した。

そこは現在トルコ領で、ビレジクと呼ばれる人口一万ぐらいの町だ。アレッポの北東で国境がユーフラテス川と接するところに、古代ヒッタイト帝国の都だったカルケミシュの遺跡があるが、ビラはそこから真北に三〇キロメートルさかのぼった東岸に位置する。古代からビラがこの地域の要衝だったのは、ユーフラテス川がここから航行可能となるからで、対岸をつなぐ船橋は、きわめて重要な戦略的意義をもっていた。ここをとられれば、モンゴル軍にシリアへの道を明け渡すようなものであり、そのうえ、川の向こうにある町なので、防備しにくいのである。

ビラは包囲された。モンゴル軍はタブリーズから運んできたおびただしい攻城用兵器を据えつけはじめる。ビラの運命は尽きたかと思われたとき、援軍が到着する。それは四〇〇〇騎の援軍を併せ指揮するハマの太守の部隊だった。彼はアイユーブ朝に属する王族だが、バイバルスに忠誠を誓い、四年前、故郷でモンゴル軍を撃破した経験の持ち主だ。ビラの守備隊も城門を開いて討って出る。モンゴル軍はせっかく組み立てた攻城用兵器を破壊して逃げ去った。これがシリア征服をめざし、準備を重ねて襲来したモンゴル軍の結末である。本隊を率いて到着したとき、バイバルスは敵の一兵も見ることができなかった。彼は城の修復を命じ、一〇年の包囲にも耐えられる武器を与えて引き揚げた。フラグはこの敗戦のあと間もなく死ぬ。

ビラの攻防戦の結末をどう解釈すればよいであろうか。エジプト側は、あらゆる意味で、防衛態勢が確立していたというほかはないだろう。半世紀前、『バイバルス一世』という、彼に関する最良の研究書といわれる伝記を出したファーティマ・サデーク女史は、さらに次のようにつけ加える。

「バイバルスの影響のもと、シリア、エジプトに新たな士気が生まれたことは明らかである。前線基地の兵たちはバイバルスがきっと助けに来てくれると確信できたから、どんな敵の攻撃にも立ち向かう用意があったのだ」。

このころ、キプチャクのベルケはビザンツ帝国を攻めて、コンスタンティノープルに圧力をかけ、皇帝ミカエル・パレオロゴスをキプチャク＝エジプト同盟に結びつけた。これをバイバルスへの最後の贈り物とし、ベルケはフラグに続き、一二六六年に世を去る。

十字軍国家の終末

フラグの後を継いだアバカーが、いかに姻戚関係を利用してコンスタンティノープルと結ぼうと、またフランク諸侯に反イスラーム十字軍を持ちかけようと、キプチャク＝エジプト同盟の結束は固く、エジプトはイル・ハン国とは少なくとも同等の軍事力をもっていた。そのため、敵に四方を囲まれたイル・ハン国は、一方と戦えば他方に攻められ、持てる兵力を十分に発揮できず、常に守勢に立たされるようになる。この情勢を利用し、第二のサラディンたろうとするバイバルスは、このイスラームの英雄が未完に終わった事業——十字軍国家の掃討に乗り出す。

十字軍とはヨーロッパが初めて行った膨張政策のあらわれで、それは近世以後の植民地主義の先駆者といえる。植民地主義にはひと旗組がつきものだ。十字軍の歴史につきまとう悪逆無道の行為は、こうしたひと旗組によるもので、ルイ九世さえ、ダミエッタに半年間「鋭気」を養った部下たちの無軌道ぶりを、どうすることもできなかった。とんだ「聖地奪回作戦」である。それでも初期の十字軍は当時におけるイスラーム世界の混乱に乗じてエルサレムを奪回し、パレスティナからシリアの沿岸各地にかけて、小さな国をいくつか建てることに成功した。しかし、巨視的にみれば、侵略者は常に少数で、これらフランク人諸侯の国は、イスラームの海に浮かぶ島にすぎない。いわばフランク人諸国は慢性的な貧血状態にあり、常に輸血——新しい十字軍——を必要としていた。そのためムスリム側に政治的統一が行われると、たちまち存立の危機にさらされる。バイバルスの出現は、まさにこの危機の到来を告げたのである。

そのころのフランク人諸国は末期的症状を呈していた。諸侯のあいだに争いは絶えなかったし、商業の実権を握るヴェネツィア人とジェノヴァ人の主導権争いは、これらの国々をそれぞれ二分するまでになり、ただでさえ貧血状態の「身体」から多くの血を奪い取ってしまった。グルッセも述べているように、彼らのエゴイズムこそ、滅亡の最大の原因だった。このような有様では、モンゴルと十字軍の撃退に生命をかけたバイバルスの攻勢に、とうてい応ずることはできない。

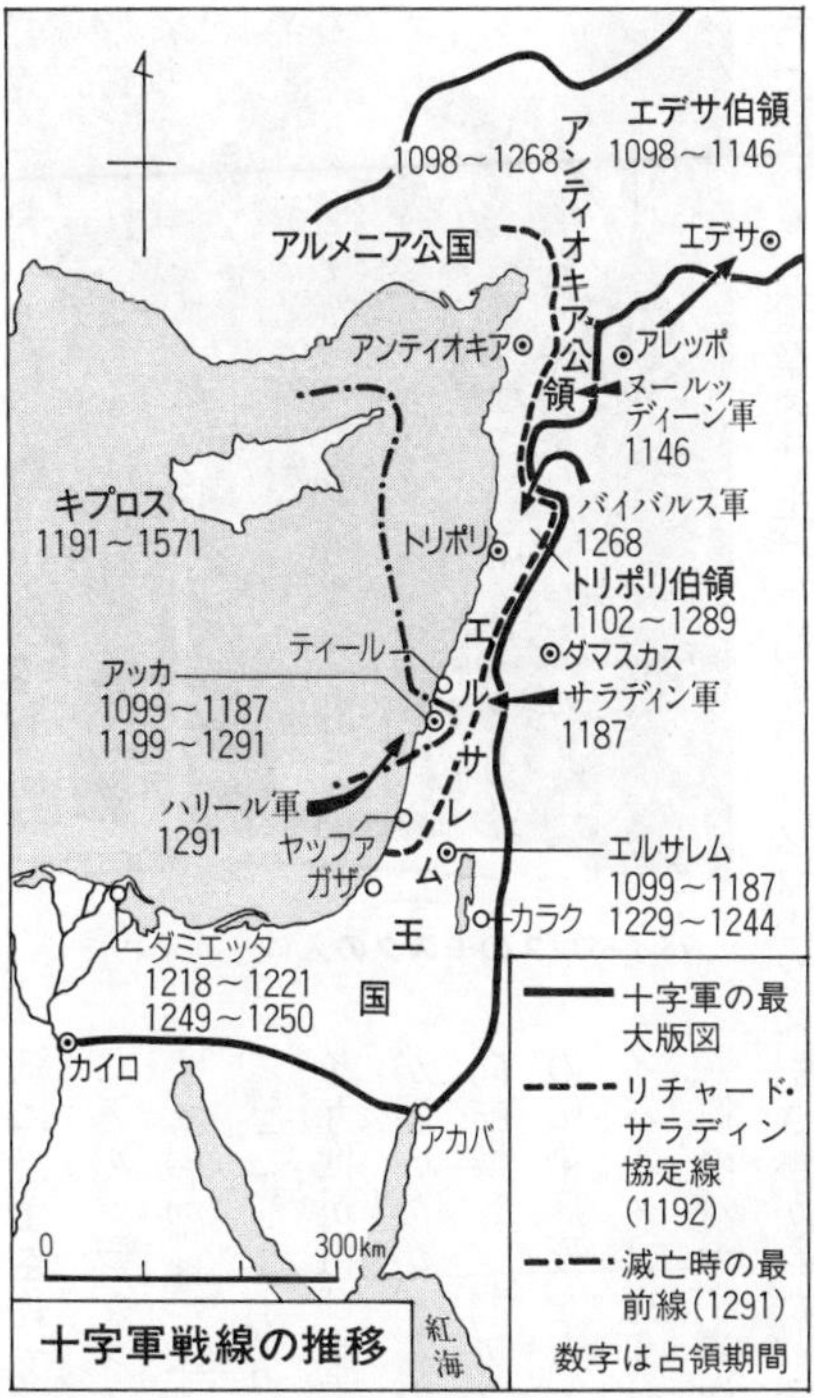

十字軍戦線の推移

彼の対フランク諸侯作戦は老獪《ろうかい》をきわめた。外堀を埋めたうえで相手と手を握り、機を見て一挙に内堀を埋めるというやりかたである。難攻不落といわれたクラク・デ・シュヴァリエの城は、にせの手紙にだまされて落ちたのである（後述）。そのころのフランク人諸国は、国というよりは点在する居留地にすぎなかった。「点」であって「線」にさえなりにくかった。一二七〇年、ルイ九世が再び十字軍を率いてやってくるとの報が届いたが、この史上最後の十字軍は途中で方向転換し、北アフリカのチュニスに上陸、国王の伝染病死をもって終了する。この点でも、バイバルスは恵まれていた。

バイバルスのモスクの入口（カイロ）

　彼の対十字軍作戦は九分通り完成を見たところで終わり、遺業の仕上げは同僚のカラウーンに引き継がれた。そのカラウーンは、バイバルスの右腕といわれたほど、マムルーク朝きっての名将だったから、彼と彼の息子ハリール・アル・アシュラフにより、残る一分が成就するのには、それほど時間のかかるわけがなかった。聖地を取り戻され、名目だけのエルサレム王国の首都となっていたアッカの陥落は一二九一年のことであった（マルコ・ポーロはバイバルス健在のころ、このアッカ経由、アバカーの保護を得て中国へ向かっている）。

バイバルスは一二七七年、ダマスカスで急死した。その年の春、トルコの奥深く進撃、アバカーに対決を迫ったものの、相手が戦わずして退いたので凱旋し、その祝賀の席でモンゴル風の馬乳酒を飲みすぎて発病（そこに毒が入っていたという説もある）、二週間苦しんだ後、七月一日に息を引きとった。二年後に建てられた彼の墓は今もダマスカスにあり、サラディンの廟に近いその建物の内部をめぐるモザイクの壁は、アラブ芸術の粋といわれている。

スルタンとしてのバイバルスはどのような性格であったか。ここに珍しい資料があるから引用しよう。トルコで発行されている百科辞典の、彼にかんする説明の一部だ。

「バイバルスは常に注意深く計算したうえで行動を起こし、ささいなことにも極めて慎重であった。享楽的なことを嫌い、金銭には淡白で、狩猟やポロ競技を唯一の趣味とし、マムルークの間で語り草となるほどの妙技を示した。戦いの決定的な瞬間には、しばしば一兵卒のように最前線に出て、身を危険にさらした。忠実なムスリムで、聖法（シャリーア）を守り、イスラームの長老（シャイフ）や学者を尊敬して多くの神学校や寺院、救済施設を寄進した。また、国家の大きな収入源となっていたにもかかわらず、売春を厳しく禁じた」（小山皓一郎訳）。

バイバルスがサラディンや『千一夜物語』の主人公ハールーン・アル・ラシードより、今でも庶民のあいだに人気があり、講釈師の恰好のテーマとなっているといわれるのも、故なしとしない。

イル・ハン国の変容と「アヴィニョン捕囚」

さて、ここで、アバカーとその後のイル・ハン国について触れなくてはならない。バイバルスは死んだが、マムルーク朝は興隆するばかりで、ついに十字軍国家も滅ぼされてしまった。南北同盟を前にして、東のアバカーは遠く西のヨーロッパに反イスラーム十字軍を呼びかけざるをえない。ルイ九世のころの「東西関係」とは力の関係が逆転したのである。アバカーはすでにバイバルスの在世中、ローマ教皇に使いを送っている。このため教皇グレゴリウス一〇世は、一二七四年、リヨンの公会議で、十字軍への説教を試みたが、その企ても教皇の病死によって水泡に帰した。アバカーの子アルグンも教皇とフランス王やイギリス王のもとに使いを送ったが、軍事同盟の確約は得られなかった。ヨーロッパ情勢は東方政策に目を向けるような暇はなくなりつつあった。

一例をあげよう。神聖ローマ皇帝フリードリヒ二世と教皇との戦いは教皇側の勝利に終わり、皇帝の家系はルイ九世の弟のために絶滅されてしまったが、今度はその敬虔きわまるルイ九世の孫に当たるフィリップ四世と教皇との争いが始まる。教皇ボニファティウス八世は王を破門するが、フィリップはこれに反撃、一三〇三年、北イタリアのアナニに住む教皇のもとに腹心を放って誘拐作戦を強行、教皇はその恐怖のために狂い死ぬ。するとフィリップはフランス人を教皇に選出させ、教皇庁を自国のアヴィニョンに移転させる。これが一三七七年まで続く「アヴィニョン捕囚」の始まりであり、その間ローマには別の教皇が立ったこともある。このような事態はモンゴル人の想像を超えるものであった。

この間に、イル・ハン国にも変化が起こる。イスラーム文化の波である。この傾向はアバカーとアルグンのあいだに立ったタクーダルにすでにみられる。彼はイスラームに帰依してアフマドと改名したが、アルグンのクーデターで殺された。しかし、イスラーム文化の波は防ぎがたく、一四世紀のはじめになると、ハン自身のイスラーム化が定着し、イル・ハン国はイスラーム国に変容してしまうのである。イル・ハン国はモンゴル大帝国の後押しをもってしてもバイバルスの剣に勝つことができず、最後はイスラームの力に包みこまれる。その変容は、宗教という文化をもたぬ征服者が、被征服地の先進文化に同化されてゆく宿命の一例を示している。

後世の評価

最後に、マムルーク朝の歴史的業績についての評価を二、三引用しよう。

「アイユーブ朝がさまざまな意味で未完の時代であったとすれば、マムルーク朝はいわば完成の時代であった。このことは文化活動においても例外ではなく、二つの王朝の間に本質的な差違は認められない。マムルーク朝の文化の保護者はスルタンやアミールであり、その保護のもとにきらびやかなモスクや学院が建造され、学問は集大成の時代を迎えた」（前嶋信次『イスラム世界』）。「マムルークのスルタンたち。この二つの言葉はわれわれの間にどれほど華麗な想像をかきたてることであろう。たとえば、著名な主権者バイバルス、カラウーン、カイトバイの名。十字軍の終末とモンゴル侵入の阻止という大事業。カラウーンの廟、スルタン・ハサン寺院というすばらしい大建築――それらを思いおこしてみるとよい」（パリ発行、プレイヤド版世界史第二巻）。「彼らは十字軍の最後のとりでをシリア、エジプトの領土から一掃した。彼らはフラグやチムールによる無敵のモンゴル軍の進撃を永久に阻止した。もし彼らがいなかったら、西アジアおよびエジプトの歴史と文化は、その流れをまったく変えてしまったかも知れない。この阻止のおかげで、エジプトは、シリアやイラクが陥った荒廃をまぬかれ、アラビア以外のどのムスリムの土地も受けなかった、文化的継続と政治機構を享受したのであった。約二七〇年にわたり、マムルークは、その間人種的にはっきりと一線を画しつつ、世界でもっとも動乱の多い地域のひとつを支配した。無知で、血に飢えた連中も多かったが、彼らは芸術や建築に高度な趣味を持ち、そのおかげで、カイロは今でもイスラム世界の、見るに価する町のひとつとなっている」（フィリップ・K・ヒッティ『アラブの歴史』）。

7　中世史を探訪する

十字軍の城クラク

シリアの西部、今ではカラアト・アル・ホスヌ Qala'at al-Hosn（城塞都市）という名のこの城を、十字軍史家はクラク・デ・シュヴァリエ Krak des Chevaliers と呼ぶ。「騎士たちのクラク」という意味のフランス語で、同時代のアラブの史家はホスヌ・アル・アクラード Hosn al-Akrād というが、これは「クルド人たちの城塞」を意味する（アクラードはクルド Kurd の複数）。このアクラードがクラクの語源のようで、十字軍時代のヨーロッパの史料には、ラテン語ではクラトゥム、フランス語ではクラトとして登場するそうである。

一二世紀から一三世紀にかけて、兵力の点で劣る十字軍は、シリア西部の沿岸地方に、防衛拠点になるいくつもの山城を築いた。そのなかでもクラクは、火薬時代以前の戦史を通じ、軍事構築物の最高傑作といわれ、かつもっともよく保存されている点では、ヨーロッパにも並ぶものがない。かの「アラビアのロレンス」ことT・E・ロレンスも、「手ばなしで褒められる城」と激賞している。

イラクの油田から西へ、シリア砂漠を横断して地中海へ抜ける大パイプラインは、石油工業都

3
13
4
12
5
11
6
10
9
8
7
1
2
14
18
19
17
25
16
24
20
22
23
21
15
0
40m

第五話　風雲児バイバルス

（右頁上）**クラク・デ・シュヴァリエ空撮**（ダマスカス市販の絵ハガキより）

クラク・デ・シュヴァリエを歩く

I 外側の散策

①正門　②巨大な塔の間から地下道に通ずる入口が開く　③保存の良い西側壁。深さ300mの谷を見下ろす　④南西の角の巨大な円塔。「スルタン・バイバルスが修復を命じた」との碑銘あり。すぐ脇に水道橋の跡　⑤城の弱点である南側を守るための凸角堡　⑥2階建ての塔。この脇に秘密の地下道。④～⑥の南面はアラブが修復。

II 外壁内部の散策

⑦凸角堡。正門をくぐって左手。2部屋あり。傾斜路の先に厩舎　⑧露天の広場。左右の通路に開く　⑨広場を守る塔。5mの厚さの扉をくぐり抜けると、⑩の広場。水をたたえた内堀に接する　⑪60m×9mの長い部屋。天井はアーチ形。中央左手に⑤からの抜け道。部屋のはずれで④の内部を観賞　⑫の階段を下りると西の側壁の内側（長さ約150m）に出る　⑬をはじめとする4個の内塔はまったく同形で、等間隔にずらりと並ぶ狭間《はざま》と突き出し狭間の列がみごとだ。右手は内壁で、地震と攻撃に備えて傾斜している　⑭は俗称「王女の塔」で、2階はレストラン。

III 内壁内部（本丸）の散策

⑮塔をくぐって石段を上ると、⑯中庭に出る。もっと広かったが、長年にわたる増築のため狭くなった。庭の南面は⑳の広い部屋で遮られ、その上は「展望台」と呼ばれる庭である。西側の回廊のみごとさは「クラク・デ・シュヴァリエの宝石」といわれるほど　⑰は27m×7.5mの広さで、会合や宴会に使われた　⑱は120m×8mの部屋で、丸天井の高さ10m。北に12個のトイレがある　⑲直径5mの大かまど。その外側の城壁の高さは27mもある　⑳は列柱の間。「展望台」へ抜ける明かり取りが数個ある。西側の境目に厨房の跡があるから、食堂に使われたようだ　㉑㉒㉓は貯蔵庫で、㉒には大きな油壺があり、㉓には搾油機や壺が残り、井戸もある。このあと⑯の庭に戻り、北へ進むと教会㉔がある。21.50m×8.5mの広さ。バイバルスによる征服後はモスクに改造された　㉕は⑯に続く庭で、教会との間にある大きな階段を上ると「展望台」に出る。その南西の塔は城主の個室らしい。ここからの眺めは素晴らしい。帰路は⑯から⑮⑧へ。（A・リハーウィ『騎士のクラク』より）

市ホムスを経てさらに一〇〇キロメートル延びて二本に分かれ、その一本はレバノン北部の積み出し港トリポリに達する。このパイプラインに沿って走るトリポリ街道は、古来から海と内陸を結ぶシリア北部の重要な貿易路だった。石灰岩で築かれたクラクはこの街道の中間から北へ一八キロメートル、ブカイヤの緑野を東に見下ろす火成岩の丘の頂上に立つ。丘の高さは百数十メートルだ。西アジア経営のため、古代エジプト新王国のファラオたちはここに城を築き、かの有名なラムセス二世が改修したと伝えられるが、その跡はまったく残っていない。

時は五月のはじめだった。街道筋にはさくらんぼの畑が実をいっぱいつけて見え隠れする。そうした春の牧歌的な野辺をうねうねと走った末に、突然、クラクの丘が見えたのだった。頭でっかちのように頂きいっぱいを占めるその城は、広さが三ヘクタールもあるそうで、中腹にまでは い上がってきたプレハブ住宅の群れを無視すれば、まさに中世そのままのたたずまいを見せている。

外から見ても、また城内を散策しても、あまりにも保存が良いので、そしてまた、観光客の姿もなく、十字軍兵士の姿を見かけないのが不思議に思えるくらいだ。そこで、「城兵は近くの村へ略奪に出かけて留守なのだ、という錯覚にさえとらわれる」と、L・コットレルはその著『古代の不思議』のなかで書いている。

しかし、城内の売店で求めたシリア考古総局発行の案内書は、私たちのこのような印象に対し、現地人の立場から訂正を求める（ひとことといえば、私が初めて訪ねた一九五〇年代には売店も案内書もなく、数年後の冬に訪ねたときもそうだった。私は無人の石の部屋の寒さに震えた）。

「よく知られていることだが、一一世紀の終わりごろ、ヨーロッパの各地を出発した連中が十字

（上）**本丸の中庭**
（下）**展望台から中庭を見下ろす**

軍を名乗り、われわれの国を侵略した。彼らはパレスティナからアナトリアに至るシリアの沿岸地帯を占領し、エルサレム、トリポリ、アンティオキアおよびエデサなどの国々をつくった。そして現地住民からの不時の反撃を防ぐため、数多くの城塞を築く。クラク・デ・シュヴァリエは、フランク人侵略者対地域民というこの種の戦闘に立ち会った城のひとつである」(アブデルカーデル・リハーウィ)。

この章句は、加害者と被害者とを区別してから物事を見よ、というひとつの視座をわれわれに与える。

幾多の城攻めに耐え

一〇三一年、ホムスの太守はトリポリ街道監視のため、この丘の小さな砦《とりで》の跡を改修してクルド人傭兵隊を駐屯させた。ホスヌ・アル・アクラードの起こりである。ところが、一一一〇年、十字軍の国アンティオキアの領主が奪取してその地の利を悟り、新たに築城した。以来一六二年間、当時のアラブの歴史家によれば、クラクは「イスラーム世界ののどもと深く突き刺さった骨」のような役割を果たす。このあいだに城主はアンティオキア公からトリポリ伯へ、そして一一四二年、聖ヨハネ騎士団に移る。

この僧兵集団はエルサレムの神殿騎士団とともに、十字軍史を通じてもっとも特殊な存在であったが、クラクは、彼らの手に帰したことにより、その後増改築を経て、最盛期を迎えることになる。それはムスリム側の代表的な三人の名将が攻めあぐんだことによってもわかるだろう。

第一は、十字軍の侵入後混乱していたシリアを統一したヌールッディーン。彼はジハード（聖戦）の旗をかかげ、アンティオキア公領とトリポリ伯領のあいだに楔《くさび》を打ち込み、海への出口をつくろうとして一一六三年、クラクを攻めた。ところがブカイヤ平野に滞陣中に騎士団の奇襲を受け、王自身、命からがら下着のままで逃げ出す始末だった。騎士団のこの大勝ぶりは、フランスの中西部、シャラント県にあるクレサック村の教会の壁画に鮮やかに描かれている。たまたまこの奇襲に参加した武装巡礼団が、故郷に帰って語った自慢話をもとにしたのだろう。

次は彼の家来だったサラディン。彼はエジプトからシリアに広がるアイユーブ朝を開き、一一八七年七月、ガリラヤ湖に近いヒッティーンの会戦で十字軍に大勝、エルサレム王国を滅ぼした後、翌八八年、勝利の進撃を行いつつトリポリ伯領に攻め込んだ。しかし、彼の戦術的天才をもってしても、クラクを抜くことはできず、一二〇七年、彼の弟で後継者のアル・アーディルが攻め落とそうとしたが、その結果は兄と同様だった。

かくて一三世紀前半、クラクは黄金時代を迎える。その城郭が現在のような姿を整えたのはこの時期のことで、城は二〇〇〇人の兵士を収容することができたという。まさに山の上の「城塞都市」である。

ブカイヤの平野はまったく肥沃であるうえ、騎士団は近郊に多くの小作地をもっていた。要所を占める出城や監視所が城の安全を保障する。城は度重なる攻撃をはね返すと同時に、遠征への出発点の役目を担った。何度かの地震で被害を受けたが、その都度、修復と増築が行われたのは、騎士団の財政が豊かだったからである。

しかし、一三世紀の後半になると、栄光のクラクにも斜陽の影が長くのび始めた。このころアイユーブ朝が倒れ、一二五〇年、軍事国家マムルーク朝がエジプトに興る。一〇年後の六〇年、モンゴル軍をヒッティーンに近いアイン・ジャールートで撃破し、意気あがる新王朝のスルタン、バイバルスは、一二六三年から七一年にかけ、サラディンやアーディルが攻め切れなかった城を次々と落とす。その攻撃の前には聖ヨハネ騎士団も、神殿騎士団も施すすべがなかった。

ペテンは美徳

一二六三年、バイバルスはパレスティナに進撃してナザレの教会を破壊し、六六年、神殿騎士団からサファドを取り、騎士二〇〇〇人を殺す。その城壁には「現代のアレクサンダーの業績」をたたえる文字が刻まれた。六八年にはアンティオキアをわずか四日で奪取して、騎士と市民一万六〇〇〇人を血祭りにあげる。そしてヨーロッパにも知られた大聖堂を焼き払った。アンティオキア公国の滅亡は残る十字軍将兵の士気をくじく。

七一年はじめ、彼はトリポリ伯領を荒らしてシャステル・ブラン城を落とし、クラク周辺の出城を片はしから抜く。こうしてクラクを裸同然にしたうえでアラブ軍がその前面に布陣したのは三月三日だった。城の弱点だった南面の丘の外堡《がいほう》を奪うと、そこを足場に投石機を組み立て、その威力で外丸の壁に突破口をつくるや、攻め手は城内になだれ込む。一五日には本丸への進路を守る塔を奪い、三〇日には工兵隊が本丸口の塔を破り、本隊は階段を駆け上がって中庭を占領する。バイバルスはそこに投石機の設置を命じた。

奮戦のかいなく多数の同志を失った守備隊は「展望台」の南の端、三個の丸い巨塔から成る「天守閣」にこもって最後の抵抗を試みる。寄せ手は攻めあぐむばかりだった。

このようなとき、トリポリ伯から「これ以上の抵抗をやめ、降伏せよ」との密書が届いたので、城主は命令に従う。バイバルスはクラクの勇士たちを寛大に扱い、四月八日、彼らがトリポリに落ちて行く道を開いた。最後の一兵を見送ったバイバルスは、してやったり、と思ったことだろう。命がけの使者も密書も、実は彼が仕組んだペテンだった。イスラームにおいてはペテンは美徳、だまされた方が悪いのである。こうして、当時のヨーロッパ人にたたえられた「キリスト教徒の領土の鍵」は失われた。

クラクが昔ながらの姿を保つことができたのはこのためで、バイバルスは城を修復して十字軍一掃作戦の拠点に用い、後継者のハリールが二〇年後（一二九一）にその目的を達してからは、城は副王の居城になった。正門の上部には、彼の業績をたたえるアラビア文字の大きな碑銘が残っている。

したがって、クラクの鑑賞にはバイバルス以後のアラブ時代への目配りも必要で、私は本丸に残るロマネスク様式の礼拝堂に注目した。そこは、平時は白十字の黒マント、戦時は十字架の色は同じだが赤いマントの騎士たちが祈ったところ。しかし城主が変わると、「クラクにあらわれたイエス」その他の聖画で飾られた壁面はしっくいで塗りつぶされてしまった。イスラームはこのような「偶像」を否定するからだ（私たちはこの訪問の後でトリポリの北、タルトゥスという港町に出て、教会を改修した博物館でこのフレスコ画を鑑賞した。ここはトリポリ線と分かれた大パイプラインのターミナルでもある）。

こうして勝利者たちは礼拝堂をモスクに変え、壁の一部をこわしてメッカの方向を示すミフラーブを設け、その右側にミンバル（説教壇）を据えたが、それは礼拝堂の均整を崩した妙な場所に位置している。場ちがいのようなこのミフラーブとミンバルに対したとき、アラブの騎士たちが勝利者としてこの城に住んでいたのだ——という実感が初めてわいた。

「天守閣」に登ると、青い山なみのかなたはるかに地中海が見える。西へ続く山あいの道を、七〇〇年前、十字軍兵士たちはそれとは知らず、二度と帰らぬ旅に立ったのである。

クラクの復活

しかし、クラクは時の流れとともに忘れられていく。火薬の発明と応用がそれまでの戦争技術を根本からくつがえし、同時に国際関係が変化すると、クラクは無用の長物となり、為政者からも見捨てられてしまったのだ。

第一次大戦後の一九二〇年、シリアとレバノンはフランスの委任統治下に入ったが、この新体制がクラクの復活をうながす。パリの碑文・学芸アカデミーが一九二八年、調査団をクラクに送ったのである。

これはクラクについての初の総合調査で、一行は現地で三ヵ月を過ごす。委任統治政府側の全面的協力があったとはいえ、一行は乗り越えなければならぬ障害にぶつかった。数えてみたら五三〇人の農民が家畜群とともに城内の各所に住んでいたのである。そこには村長もいる完全な村組織が存在し、住みやすいように城の一部は取り壊されていた。この村民の城外移転が完了するのは一九三四年（現在ふもとに広がっている村が、その移転先の後身だ）。以後はフランスが、独立後はシリア政府が、この人類の貴重な遺産の修復と保存の責任を負うことになる。

こうして城は開放された。クラク・デ・シュヴァリエの探訪とは中世史の大著のページをめくることである。

第六話　イスラーム世界と西ヨーロッパ

——中世から近世へ

プロローグ　西ヨーロッパの東西で

一五世紀は西ヨーロッパが中世から近世へ移行する過程のなかで画期的なできごとをもった時代である。すなわち一四五三年にはコンスタンティノープルがオスマン・トルコ軍の攻撃のため陥落、ビザンツ（東ローマ）帝国は地上から姿を消した。以後四世紀以上にわたるオスマン・トルコ対西ヨーロッパの緊張関係の始まりである。またこの年、二十数年前にはジャンヌ・ダルクの登場を招いた百年戦争（一三三七年以来）が終結した。英仏両国が国民国家として近世へ歩み出した原点はこの年に求められよう。

次に、世紀末の一四九二年には、スペイン軍がグラナダ王国の首都グラナダを攻略している。八世紀近くイベリア半島に居すわり、近代ヨーロッパの成立に際して大きな文化的衝撃を与えたイスラーム勢力はこうして西ヨーロッパから追い払われた。また同じ年、コロンブスはアメリカを「発見」した。いわゆる大航海時代の幕開けである。一四九二年は、世界史の中央にヨーロッパが登場する飛躍台になった年といえるだろう。

このように、ヨーロッパは一五世紀から転換の時代に入る。以後一七世紀に至る西ヨーロッパとイスラーム世界との関係を考えるために、視点をまずグラナダにしぼろう。

1 陸と海の「十字軍」

レコンキスタの完成

グラナダの攻略はレコンキスタの完成を意味した。レコンキスタとは再征服、回復の意で、ふつう国土再統一、あるいは国土回復と訳される。八世紀はじめのアラブ・イスラーム勢力のイベリア半島上陸以来、北方に追い上げられていたキリスト教徒が行った国土回復作戦の総称で、かれらがこの七八一年間にイスラーム教徒と交えた戦いの数は三七〇〇回にも達している。

この日、一四九二年一月二日、九カ月間の防衛もむなしく、グラナダの王モハメド一一世（別名ボアブディル）は降伏した。攻めるはカスティーリャとアラゴン両王国の連合軍で、指揮者はイサベルとフェルナンド二世の両国王（イサベルの在位は一四七四〜一五〇四、フェルナンドは一四七九〜一五一六）。そしてこの二人が夫婦だったところに、グラナダ攻略の意義がある。

グアダルキビル川に面するセビーリャ風景　中央に立つのは「黄金の塔」、その右後方のカテドラルにはコロンブスの墓がある

中世を通じ、イベリア半島のクリスチャン側はいくつかの国に分裂していた。それがレコンキスタの進展のなかでしだいに統合を重ね、一五世紀後半にはポルトガルを除けばカスティーリャとアラゴンの両王国だけとなり、一四六九年、イサベルとフェルナンドとの結婚により統一スペインが出現して、レコンキスタ作戦は一挙に拍車がかかったのである。グラナダ王国が内紛のため自壊作用を続けていたのに対し、この両国がともに賢明な君主をいただいたことはクリスチャン側に大いに幸いした。

レコンキスタの完成という歴史的事件に立ち会い、アルハンブラ入城式にも加わって、記録を残した一人の男がいる。イサベル女王の援助を取りつけようと、グラナダにやって来ていたコロンブスだ。クリスチャンの歓喜のなかでやっと目的を達した彼は一〇カ月後、新大陸にたどり着くことになる。

ポルトガルの台頭

十字軍はすでに一三世紀末、エジプトのバフリ・マ

グラナダの降伏を受け入れるフェルナンド（右から3人目）とイサベル（その左）

ムルーク朝（前期）によって中東の大地から追い払われていた。十字軍戦争のクリスチャン対ムスリムという図式から見れば、レコンキスタはローマ教皇のイニシアチブもなく、時代もだいぶずれた自主的十字軍だが、正統十字軍の敗戦というクリスチャンの屈辱を晴らしてくれた壮挙といえるだろう。そのため、フェルナンドとイサベルの二人は教皇から、「レイエス・カトリコス」すなわち「カトリックの両王」との称号を贈られている。

ところで、スペインの隣国ポルトガルは、レコンキスタに「海の十字軍」として重要な役割を果たしている。スペインとの連携作戦ではまったくなく、スパイス貿易の中継地を押さえるためだったが、一四一五年、ポルトガル海軍はモロッコ北端の港セウタを奪取した。かつて七〇〇年前、ムスリム軍がはじめてスペインに攻め込んだのも、また後にムラービト朝（一〇五六〜一一四七）とムワッヒド朝（一一三〇〜一二六九）が再征服を行ったのも、この港を起点にしていた。

そこは地中海の鍵なのである。セウタの奪取はグラナダ王国を北アフリカから孤立させ、その末路を早めるという戦略的価値をもっていた。それは西ヨーロッパが外界から獲得した初期十字軍以来の勝利だった。

ポルトガル海軍力の振興はこの作戦に国王ジョアン一世とともに参加した三男のエンリケ航海王子（一三九四〜一四六〇）の努力にもっぱら負うている。彼の指導のもとに行われた探検の結果、ポルトガル人はアフリカ大陸の西岸に沿って南下を続け、一四三四年、プトレマイオス（二世紀のアレクサンドリアの地理学者）以来「恐怖の海」とされていた海域に突き出たボジャドール岬の突破に成功、この一連の事業の積み重ねの果てに、一四八八年、バルトロメウ・ディアスの喜望峰《きぼうほう》通過となる。そして一〇年後の九八年、ヴァスコ・ダ・ガマはこの航跡を延ばしてインド洋航路をたどり、ヨーロッパ人として初めて、インド亜大陸の西南部の港カーリクート（カリカット）に達した。

ポルトガル人が行ったこのような精力的な海洋事業は、何も地理学上の関心に基づくものではない。それはガマの航海記を見れば明らかだ。彼は「キリスト教徒の王とスパイス」を求めてこの大航海を行ったのである。「キリスト教徒の王」とはプレステ・ジョアン（プレステとは司祭を意味し、英語ではプレスター・ジョン）のこと。中世以来西欧では東方にプレステ・ジョアンと名乗る聖者が治めるキリスト教王国が栄えているとの伝説が根強く広まり、十字軍時代には彼と同盟してムスリム側をはさみ撃ちにしようという政策が真剣に考えられた。そして、モンゴル軍にネストリウス派のクリスチャンがいたことから、チンギス・ハンがその聖者だと考えられたこともある。航海技術を飛躍的に開発しながらも、彼らの精神状態はまだこのようなものであった。

次のスパイスとはもちろん香辛料のことで、その代表は今日われわれの食卓にあるコショウだ。その入手が大航海の目的のひとつであったことを理解するには、当時のスパイス貿易の重要性をまず念頭に置かなければならない。

なぜスパイスか

スパイス、絹、黄金、象牙など、ローマ時代以来ヨーロッパ人が欲しくてたまらなかった貴重品は、残念ながらみな東方からの輸入品だった。中世ではこの貿易ルートのまんなかにアラブ諸国がいて中間搾取を行う。西ヨーロッパが聖地奪回の美名のもとに十字軍戦争を決行したのは、非ヨーロッパ人の経済圏に対するヨーロッパ人の昔ながらの挑戦のひとつにほかならなかった、という側面を見落としてはなるまい。

スパイスのなかでもっとも珍重されたのは、モルッカ諸島の丁香《ちょうこう》とインドのコショウで、丁香はマレー商人によってマラッカに集められてからボンベイに運ばれ、インド商人によってコショウとともにペルシア湾の入口のホルムズに、他は紅海の入口のアデンに、そしてアラブ商人が前者をシリアへ、後者をアレクサンドリアへ持って行く。この二つのルートでスパイスは地中海を渡り、西ヨーロッパへ届けられるのだ。そして一五世紀になると、防腐剤という特質をもつコショウの需要が北欧で急速に伸び、売り手市場の度が強まるばかりなので、中間搾取の額も増える一方だった。

ところで、マレー商人もインド商人も、そしてもちろんアラブ商人もムスリムだ。インド洋はしたがってムスリム商業圏に入る。そこで、西ヨーロッパの先兵としてインド洋に侵入したポルトガルの戦略目標は、このスパイス貿易の主導権をムスリムの手から奪取することにあった。スパイス万能の時代は一七世紀まで続くから、この目標設定は正しかった。そして戦術目標はこの水域を押さえているエジプトだ。スパイス・ルートをエジプトの背後で切断し、アレクサンドリアの繁栄にとどめを刺すことである。

当時、エジプトの後期(ブルジ)マムルーク朝(一三九〇～一五一七)は現在のシリアはもちろん、レバノン、ヨルダン、イスラエルにわたる地域を支配下に置いていた。かつて一三世紀後半、前期(バフリ)マムルーク朝がモンゴル軍と十字軍を撃退したほどの兵力を養うことができたのも、スパイス貿易の通過税から得た膨大な財力によるものであった。

ガマの後、スパイス・ルート奪取のために派遣され、初代インド総督フランシスコ・デ・アルメイダの後を継いだアフォンソ・デ・アルブケルケは次のような抱負を述べる。

「東方貿易には三つの鍵がある。第一はマレー半島西岸のマラッカ、第二はアデン、第三はペルシア湾の入口のホルムズだ。もしポルトガルがこの三要地を攻め取り、シンガポール海峡と、紅海の入口とペルシア湾の入口とを押さえたら、まさに全世界の支配者と呼ばれるようになるだろう」。

ヴェネツィアをたたく

したがって、ポルトガルの意図には、キリスト教世界対イスラーム世界という十字軍的性格が見られる。しかし、十字軍自体が多くの矛盾をかかえていたように、この「海の十字軍」はあまりにも現実的な顔をもっていた。すなわち、当面の敵はエジプトのほかにもうひとつあり、それは同じカトリックの国ヴェネツィアだった。

第四回十字軍（一二〇二〜〇四）のコンスタンティノープル攻略という大脱線を想起しよう。仕掛け人はヴェネツィアであり、その目的はこの「世界の都」に商業特権を確立することにあった。以来ヴェネツィアは海洋帝国として東地中海の貿易を独占していた。そしてアレクサンドリアは事実上ヴェネツィア商人の港だった。対抗馬のジェノヴァの勢力を排除し、彼らがスパイスを西ヨーロッパへ運んだのだ。したがって、ポルトガルの戦略目標はエジプト、ヴェネツィア両国によるスパイス貿易の独占体制の打破にあったといった方が正しい。

二年半の留守の後、ガマは四艘の船にコショウおよび熱帯の産物を満載して帰国し、リスボンを驚喜させた。新しいスパイス・ルートが開けたのだ。一五〇二年、彼は二一艘の船団を率いて出発する。この「スパイス十字軍」は前回のような偵察隊ではなく、インド洋征圧のために武装したアルマダ（艦隊）であった。行く先々でこのアルマダはアラブの船を乗組員もろとも焼き払い、捕虜ののどをえぐり、手を斬り、鼻や耳をそぐのだった。「大航海時代」という旗印にかくれたこの悪逆非道ぶりを忘れてはならない。

翌一五〇三年、アルブケルケはインドのコチンを占領、エジプト、シリア貿易の基点を手に入れ、〇六年にはアデンの沖合のソコトラ島、〇七年にはホルムズを奪って紅海とペルシア湾の入口をふさいだ。その効果はたちまち現れる。すでに一五〇三年、アレクサンドリアとベイルートに届くスパイスの量は激減、その翌年にはほとんど無に帰してしまった。こうしてリスボンに流入する新しい富は、ポルトガルのルネサンスを開花させることになる。

これに対しマムルーク朝のスルタンは、国内のさる修道院長をローマに派遣し、ポルトガルがインド貿易をやめないならばエルサレムの聖地を破壊すると教皇に訴えさせたが、効果はなかった。一方、危機の重大さを悟ったヴェネツィアは大量の木材をエジプトに提供し、これを受けてスルタンは最後の努力を傾け、スエズで艦隊を急造したが、一五〇九年、インド西北岸のディウ沖の海戦でアルマダに壊滅させられる。開発された火力と、外洋航海に慣れたポルトガル海軍の機動力を前にしては、時代遅れのエジプトの艦船は為すところがなかった。この海戦により、インド洋の制海権はポルトガルのものになる。

アルブケルケは最後の事業として、紅海に押し入ってイスラームの聖地メッカを攻略、さらにナイル川の流れを変えて紅海に注がせる大運河工事を計画したという。これは「ナイルのたまもの」といわれるエジプトの息の根をとめる壮大な計画だが、その実現にはプレステ・ジョアンの協力が必要だった。

その聖者を発見できないうちに、彼は一五一五年に急死する。これに対しエジプトの方も、その二年後、受けた経済的打撃から回復しないまま、伝説上の聖者に代わる現実の巨人オスマン・トルコに滅ぼされてしまう。

一方ヴェネツィアは一五〇九年、神聖ローマ皇帝マクシミリアン一世、ローマ教皇ユリウス二世、フランス王ルイ一二世およびアラゴン王フェルナンド二世による同盟軍の侵略を受けた。「ヴェネツィアはキリスト教の敵で異教徒の友」、というのが侵略の口実だが、真の目的は北イタリアにおけるヴェネツィアの領土拡大を阻止することにあった。これはやがて訪れるこの海洋帝国の衰亡の序曲となるのだが、この侵略の舞台づくりをしたのは、イタリア南部に領土をもつフェルナンドの宣伝工作だった。

魂のレコンキスタ

フェルナンドとイサベルの夫婦は信心深く、決断力と行動力をもった有能な君主だった。しかし、宗教の面であまりにも非寛容だったことが、ところ変わって被征服者となったムスリムの悲劇の始まりとなる（ここがオスマン・トルコのキリスト教政策と根本的にちがうところだ）。そしてこの悲劇には、ユダヤ教徒が同等の資格で、犠牲者として参加している。

レコンキスタのなかでキリスト教徒に降伏し、現地に留まったムスリムには二種類あって、ムデハルおよびモリスコと呼ばれる。後者はグラナダ王国の滅亡によって生じた降伏者のことで、前者はそれ以前にトレドその他、グラナダ以外の土地で降伏または契約により、キリスト教国の臣民になった者を指す。

スペイン語をしゃべり、それをアラビア文字で表記したというムデハルたちは、クリスチャンより裕福で、知的水準もはるかに高かった。そのため信仰や風俗、習慣を守ることを許され、アラゴンやカスティーリャの開発に多大な貢献を行っている。レコンキスタの諸王はユダヤ人を迫害追放したが、ムデハルには寛大だったのだ。

しかし、グラナダの陥落を転機として、このような寛容の時代は終わる。神がキリスト教徒の味方であることがいまや証明された。以後はキリスト教が国政の根本でなければならない。この立場から、カトリックの両王は、レコンキスタの事業は国土の宗教的統一が成就しないかぎり完全なものではないと考えた。そこで二人は政治的レコンキスタの次に、魂のレコンキスタに乗り出す。ムデハルやモリスコには先祖がキリスト教徒だった者が多かったからである。

魂のレコンキスタのための制度として、異端審問裁判所がスペインに設けられたのは一四八一年のことだ。本来これはユダヤ人からの改宗者を査問するためのものだったが、やがてユダヤ人全体へ、さらにムスリムへ攻撃の手を広める。最初のユダヤ人追放令が旧グラナダ王国内で発せられたのは、陥落からわずか三カ月後のことであった。

次はモリスコの番である。彼らはムデハルと同じ条件で降伏したのだが、両王はやがてこの約束を破る。先頭に立ったのは女王の聴罪司祭をつとめたヒメネス・デ・シスネロス枢機卿だ。一四九九年、彼はグラナダの広場にイスラーム関係のアラビア語の図書を積み上げて一挙に焼き払った。そして強制改宗に乗り出し、一回の聖水撒布で三〇〇〇人のモリスコを改宗させたという。一五〇一年、グラナダのモスクはキリスト教の教会に改造され、翌〇二年、イサベルは「改宗か追放か」の二者択一をカスティーリャ全土のムスリムに迫る。この勅令は二六年、孫のカルロス一世の時代にアラゴンにも適用された。

しかし、不寛容によるこのような強制措置は必然的にモリスコ、ムデハルたちの反乱を招き、魂のレコンキスタは、その完成までにグラナダの陥落から一〇〇年以上の長年月を要する大事業とならざるを得なかった。そのために費やしたエネルギーは、やがてスペインの栄光に深刻な影を与える。

2 オスマン帝国と西ヨーロッパ

コンスタンティノープルを攻略

一五世紀はオスマン・トルコにとって暗い夜明けだった。バルカン半島と小アジアの大部分を征服し、第一次興隆期の頂上にあったバヤジト一世が一四〇二年、アンカラの戦いでモンゴルの王チムールに大敗し、捕虜となって死んだからだ。伸び盛りの帝国はたちまち瓦解したが、バルカンの諸侯が忠誠を貫いたことが復興に役立った。そしてムラト二世（在位一四二一〜五一）は治世の終わりに際し、まだ規模は小さいが両大陸にまたがる確固たる領土と、強い軍隊と有能な官僚を息子メフメト二世（在位一四五一〜八一）に残すことができた。

一四五三年の四月から五月にかけてコンスタンティノープルを包囲したとき、二一歳になったばかりの青年スルタンは、未完に終わった父祖の事業を成就するため、十数万の兵力を動員した。攻略の決め手となったのは最新式の火砲の威力だ。当時の世界最強の部隊を前にして、首都をめぐらす城壁の内部にしか版図をもたなくなったビザンツ帝国は、一〇〇〇年の歴史を終えて滅亡せざるを得なかった。この危機に際し、カトリックの西欧にできたのは、四隻のジェノヴァ船の

アヤ・ソフィア（イスタンブル）

派遣だけだった。

かつてユスティニアヌス帝が「これでソロモンの栄華をしのいだ」と豪語した聖ソフィア大聖堂は、陥落と同時にモスクに変えられてしまった。以後イスラーム世界の君主や統治者たちは、トルコのスルタンに送る公式文書に「カイサル・イ・ルーム」すなわち「ローマ皇帝」とするようになる。彼らにとってオスマン・トルコはビザンツ帝国の後継者とみなされたのだ。事実、オスマン帝国は前代の帝国機構の相当部分をそのまま受け継いでいる。

この業績により、メフメト二世は「征服者」と呼ばれる。コンスタンティノープル攻略はムスリムばかりでなく、この地域のクリスチャンにも、神はイスラームの側にあることを納得させてしまった。そこでクリスチャンの協力が始まる。オスマン帝国の国家組織は身分や宗教の別を問わず、能力のある人物を求めたから、クリスチャン出身者でも大宰相や軍司令官になれたのだ。ヨーロッパの被征服地域のクリスチャン農民も、税金が以前より安くなったから、オスマン体制を歓迎している。

メフメト二世はまたギリシア正教会を再建した。新領土に正教徒が多かったためだが、同時に再建教会を親トルコ・反カトリック同盟に引き入れるねらいもあった。この結果、キリスト教世界はカトリック教会、ギリシア正教会、ロシア正教会の三つに分裂する。

メフメト二世は一四八一年に急死するまでに、黒海を「オスマンの湖」とした（この状態は一八世紀末まで続く）。そして海軍を創設し、エーゲ海からヴェネツィア、ジェノヴァ勢力の締め出しを図る。このためトルコ・ヴェネツィア戦争（一四六三～七九）が起こったが、一六年にわたる闘争の末ヴェネツィアは敗れ、トルコのいっそうの強大化と、ヴェネツィアの二流国への転落を招いた。

メフメト2世

「残酷者」の東方遠征

セリム一世（在位一五一二～二〇）は父のバヤジト二世に背き、譲位させてスルタンとなり、その際兄二人と甥五人を殺した。さらに彼の統治は厳格だったので「残酷者」と呼ばれる。末子の彼が反乱に踏み切ることができたのは、イェニチェリ(新部隊、という意味)の支持を期待することができたからだ。

イェニチェリとは二〇〇年近い、つまり、オスマン帝国とともに古いほどの歴史をもつ職業軍人の部隊で、隊員は征服地のクリスチャンの家庭から徴発された。この白人部隊はスルタンの純粋な私兵で、高度の軍事教育によってやがては国軍の最精鋭部隊となり、「マケドニアの槍兵隊やローマの軍団に続く、戦争技術のもっとも成功した例のひとつ」といわれるまでになる。そして、スルタンの後継者決定に際し、プリンスたちが殺し合いするのがオスマン帝国の習慣になってしまっていたので、スルタンになるにはプリンスたちはイェニチェリの支持を得ることが絶対必要だった。

セリムの治世はわずか八年にすぎなかったが、彼は西方のヨーロッパ諸国と和を結び、東方遠征に専念するという特殊な業績を残した。第一は一五〇一年に成立したばかりのサファヴィー朝イランへの遠征である。前代の白羊《はくよう》(アク・コユンル)朝はヴェネツィアと組んでトルコの背後を脅かしていた。この王朝を滅ぼしたサファヴィー朝はイラン史で初めてイスラム分派のシーア派を国教とした。そこで正統派スンニーを信ずるセリムは宗教戦争の意味合いもこめて出陣し、一五一四年、首都タブリーズを奪取した。以来二世紀にわたる闘争の始まりだが、上昇を続けるサファヴィー帝国の存在のため、オスマン帝国は常に戦力の相当部分を東方に割かなければならなくなる。

次はアラブ世界の征服である。前世紀末、マムルーク朝エジプトはアナトリアに攻め込むほどの強大さを誇っていたが、一六世紀になると、グラナダのような王朝末期の様相を示していた。一五一六年、この機に乗じたセリムはイェニチェリの隊長を司令官に据えて南下し、シリアを奪い、パレスティナを征服し、翌年一月、ついにカイロを攻略した。このとき以来セリムは「信徒の長」であるカリフの地位も併せることになる。またメッカのシャリフ（守護職）は臣従のしるしとして、それまでエジプトのスルタンが保っていた「二つの聖都（メッカとメディナ）の守護者かつ奉仕者」の称号をセリムがもつことを公認した。

グラナダの陥落とセリムのエジプト征服により、アラブ世界は以後四〇〇年にわたる衰亡の時代に入る。以後オスマン帝国のスルタンはアラブを徴税の対象としか見なかった。一九世紀に入ってダマスカスを訪れた西欧人は町に一軒の本屋もないことに驚いている。

「壮麗王」と三人の君主

セリムの後を継いだスレイマン一世は、トルコ人からは「立法者」といわれ、西欧からは「壮麗王」または「大帝」と呼ばれた。一三回も親征した彼の時代に、オスマン・トルコは黄金時代を迎えたのである。このとき、オスマン帝国はヨーロッパの最強国のひとつにのし上がった。彼はまた、メソポタミアから北アフリカに至るアラブ世界のほぼ全域を手に入れている。

それでは、西ヨーロッパはスレイマンのなすがままだったかといえば断じて然《しか》らずで、ハプスブルク家の神聖ローマ（ドイツ）帝国はカール五世のもと最盛期にあり、彼はスレイマンと戦うと同時にヴァロワ朝フランスのフランソワ一世と対決した。この三人の君主の生涯と在位期間をまず眺めてみよう。

スレイマン一世。一四九四〜一五六六年。在位一五二〇〜六六年。

カール五世。一五〇〇〜五八年。在位一五一九〜五六年。スペイン王カルロス一世として一五一六〜五六年。

フランソワ一世。一四九四〜一五四七年。在位一五一五〜四七年。

この数字が示すように、三人はまったくの同時代人だった。

さらに、オスマン帝国との関係は薄いが、カールとフランソワのあいだを立ち回り、国際的地位の向上に努めたイ

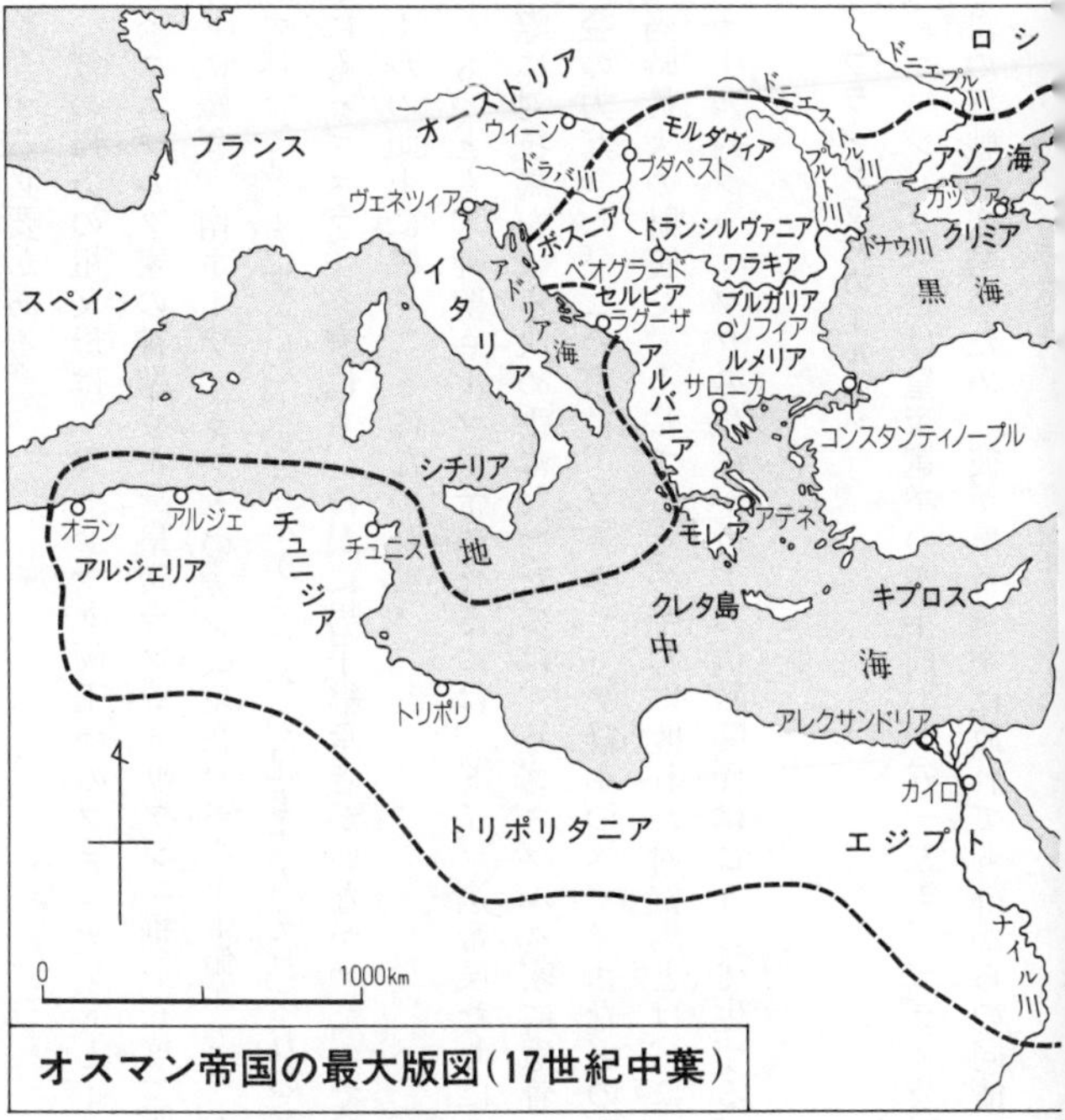

オスマン帝国の最大版図（17世紀中葉）

ギリス王ヘンリー八世（一四九一～一五四七。在位一五〇九～四七）も、同時代人としてあげなくてはなるまい。「青ひげ」の異名をもつ彼は、いわゆるルネサンス君主の代表者の一人で、イギリス国教会を設立して王権を拡大し、海軍力を強化して海洋帝国の基礎を築いた。

しかし、一六世紀において、「太陽の没することのない帝国」を誇ったのは、カール時代のスペインだ。そこで、スペイン国王と神聖ローマ皇帝を兼ねたカールの出自をまず紹介する必要がある。

彼の母方の祖父母は「カトリック両王」のフェルナンドとイサベル。その娘のひとりフワナはハプスブルク家の神聖ローマ皇帝マクシミリアン一世（在位一四九三〜一五一九）の長子フィリップに嫁ぎ、南ネーデルラントのガン（現在のベルギー領）でカールを生んだ（フワナの妹カタリーナは〈ヘンリー八世の妃〉）。ところがフワナの兄も夫もそれぞれの父に先立って死に、スペイン王家にもハプスブルク家にも、ほかに男子継承者がいなかったので、この両大国の王冠は二つともカールの頭上に輝くことになった。

もっとも、神聖ローマ皇帝になるには、ドイツ選帝侯たちによる選挙が必要で、カール選出の際に対抗馬を破る決め手になったのは、ハプスブルク家に癒着しているドイツのフッガー財閥の金の力だった。この家は、ヴェネツィア経由のスパイスなどの東方貿易を手はじめに産をなした当時最大の財閥だ。そして、その金力に敗れた対抗馬とは、ほかならぬフランソワ一世だった。カール対フランソワの生涯かけての仇敵関係はこうして生ずる。

フランソワ対カール

フランソワ一世は皇帝選挙の四年前の一五一五年、ミラノ公国を攻めてこれを領有している。この好戦的姿勢のため、彼が皇帝選挙に敗れても外からの同情はなく、彼の再度の来襲に備え、フランスの周辺諸国はイギリスのヘンリー八世を含めカールを中心とする対仏同盟に結集した。「フランス・ルネサンスの父」といわれるフランソワがイタリア進出に固執したのは、アルプスの南に対するフランスの伝統政策に基づく。ナポリからシチリアに至る南イタリアは、かつて一三世紀後半、フランス王ルイ九世の弟シャルル・ダンジューが支配していたが、スペインのアラゴン家に追い出されてしまった。この歴史的事実を根拠に、フランソワの先々代シャルル八世、先代ルイ一二世がアルプスを越えてともにナポリを一時的に占領はしたが、再び退却せざるを得なかった。イタリア諸国はフランス軍を招き入れながら、その進出が成功すると同時に拒絶反応を起こすのだ。

カール5世

このようなイタリア情勢に決着をつけようと、フランソワは一五二五年二月、二万六〇〇〇の大軍を率いて南下したが、一六世紀最大の陸戦といわれたパヴィア（ミラノの南）の会戦でカールに敗れて捕虜になり、マドリードの獄舎につながれるという醜態をさらしてしまった。

ところがここで、またイタリアの拒絶

反応が起こる。今度は勝者カールに対してである。これではローマ以北のイタリア諸国は南からのスペイン、北からのドイツ、つまりカールの脅威に直接さらされてしまう。そこでヘンリー八世がまずフランス側に寝返り、北イタリアもこれに続いた。そのなかにローマ教皇が加わっていたことはカールに衝撃を与えた。彼は、神聖ローマ皇帝とローマ教皇とは常に一体であると思っていたからだ。

以後も続くイタリア戦争を通じて興味深く思えるのは、「力の均衡」という現実主義に基づく近代政治の原型がうかがえることだ。そして俗権の動向に揺さぶられるローマ教皇は、もはや中世のような絶対権力の保持者ではない。また、十字軍思想の持ち主であるカールも、窮地に立たされたフランスがオスマン・トルコに救いを求めたとき、これに対抗するため、トルコの敵、サファヴィー朝イランからの援助要請に応ぜざるを得なくなったのである。

力の均衡

このころ、マルティン・ルターによる宗教改革運動がすでに起こっている。彼がはじめて教会を批判したのは、セリム一世がエジプトを滅ぼした一五一七年で、カールが皇帝になる二年前のことであった。しかし、当時の現実主義者である君主たちは、宗教イデオロギー上の闘争から脱却し、国民国家建設の道を歩み出している。典型的な例がヘンリー八世とフランソワ一世で、フランスではフランソワ一世はもちろん、息子アンリ二世（在位一五四七～五九）もスレイマン一世との友好を深めると同時に、カールの力を弱めるという同じ目的で、カトリックの身でありながらドイツのルター派を援助している。

フランスとオスマン帝国の友好は、フランスからの要請から生まれたことに意義がある。スレイマンはこの要請に応えて一五二六年、ハンガリーへ遠征する。このころ即位したサファヴィー朝のタフマースブ帝（在位一五二四～七六）がトルコをはさみ撃ちするためハンガリー王とカールに助けを求めたのだ。スレイマンにとっては五年前に続く二度目のハンガリー遠征で、この結果ハンガリーのほぼ全土が以後一世紀半にわたってオスマン帝国の支配下に入る。そのすぐ西隣はハプスブルク家の本拠オーストリアだ。一五二九年秋、スレイマンはその首都ウィーンを包囲したが、「冬将軍」のため攻略できなかった。とはいえ、彼はフランソワの期待に十分こたえたことになる。三五年、二人はベオグラードで握手した。

ただし、フランソワの現実主義政策には北イタリア諸国という先駆者がいたことを見落としてはなるまい。これら諸国は北からの重圧をはね返すためにオスマン帝国と外交関係を保ち、万一の場合はスルタンを呼ぶぞ、という脅しを外交の切り札に使っていたようだ。「カイサル・イ・ルーム」であるスレイマンが、教皇と皇帝への対抗意識を燃やしながらもローマ侵攻を行わなかったのは、その場合、北イタリアのみならずキリスト教世界全体に起こる拒絶反応の度合いを読み込んでいたからだろう。ところが、現実にSOSを発してきたのは大国フランスだった。スレイマンはクリスチャン世界のなかに価値ある友人を得たのである。

フランソワ自身、オスマン帝国はヨーロッパの反カール諸国の存続を保証する唯一の力だと語っている。彼やアンリ二世がルター派諸侯に送った軍資金の相当部分はスレイマンから出ていたようだ。

一五五二年、スレイマンはドイツのルター派を助けに行く意向を示し、その後はスペインの属領であるネーデルラントのルター派に対しても軍事援助を申し出ている。彼によれば、彼らは偶像を崇拝せず唯一神を信じ、教皇と皇帝を相手に戦っている以上、その立場は彼に近いのであった。

このようにスレイマンは、一六世紀ヨーロッパにおける「力の均衡」に重要な役割を果たしている。

3 地中海時代の終わり

海賊提督バルバロッサ

目を地中海に転じよう。この海の制海権の争覇はやはりクリスチャン対ムスリムという図式で進められ、フランスはしばしば後者につくか、あるいは中立を守る。前者にはフランス側から皇帝側に寝返ったジェノヴァ人の名提督アンドレア・ドーリア（一四六六〜一五六〇）がおり、後者の中心には、敵側から、「バルバロッサ（赤ひげ）」のあだ名で恐れられたハイルッディン（?〜一五四六）という大海賊がいた。舞台はカール五世対スレイマンとその次の世代だ。

ハイルッディンにはもう一人の赤ひげであるウルージという兄がいた。赤ひげ兄弟はエーゲ海生まれのギリシア系ムスリムで、バルバリアと呼ばれる北アフリカ海岸を根城に海賊行為を働き、スペイン軍と戦っていた。「カトリック両王」は「魂のレコンキスタ」の後、バルバリアのコンキスタに乗り出し、オラン、アルジェなどの主要海岸都市を奪取していたのである。

一五一八年、カールが派遣したスペイン軍のために兄が敗死すると、ハイルッディン・バルバロッサはコンスタンティノープルに使者を送り、アルジェリアを皇帝のもとに献上するからその保護を得たいと申し出た。エジプト征服で気をよくしていたセリム一世はただちに彼をアルジェリア大総督に任じ、イェニチェリ二〇〇〇人を急派する。オスマン帝国の主権はアルジェリアの西端まで及んだわけだ。以後三〇〇年にわたり、「キリスト教世界の災厄」と呼ばれたバルバリア海賊の跳梁はこうして始まる。

ハイルッディンはスペイン海岸を中心に西地中海狭しと荒し回った。国外追放を強いられているモリスコたちを救出して一部を味方に加え、あるいは彼らの手引きで上陸して攻め込むという不敵さで、スペイン国王から神聖ローマ皇帝へ変身、またはその逆の旅にカールが使ったバルセロナージェノヴァ間の航路もその安全を脅かされるほどであった。カールは一五四一年、大軍を率いてアルジェに侵攻したが惨敗してしまった。彼の十字軍思想の挫折である。

一方スレイマンは一五二二年、エーゲ海ののどもとに刺さった骨のようなロードス島を攻め、猛勇をうたわれた聖ヨハネ騎士団を降伏させた。こうしてエーゲ海からアレクサンドリアに至る航路の安全は確保されたが、ギリシアの西岸からイタリアの南端にかけてのイオニア海をドーリアが押さえているので、スレイマンはハイルッディンをコンスタンティノープルに招いてカプダン・パシャ(海軍司令官)に任じ、オスマン海軍の強化に努める。

両雄の会戦は一五三八年九月、ギリシア西岸プレヴェーサの湾頭で行われた。ここは一五〇〇余年前、ローマ皇帝アウグストゥスになる直前のオクタヴィアヌスがアントニウス、クレオパトラの連合艦隊を撃破したアクティウムの古戦場だ。ここで劣勢ながら軍船一二二隻を率いたハイルッディンは教皇、ヴェネツィア、スペインから成る二〇〇隻のドーリア艦隊を破り、オスマン海軍の常勝不敗を立証した。

ふたつの海戦

ただし、ハイルッディンの勝利は、フランスが中立を守ったからこそ、という背景を忘れてはなるまい。フランスの商船はバルバリア海賊の目こぼしにあずかるという特権を得ていた。またフランソワ一世はスレイマンとキャピチュレーションという特恵関係を結んだから、以後フランスは東地中海でヴェネツィアに代わる貿易の担い手になる。

しかし、三〇余年後、クリスチャン世界は報復戦を挑む。一六世紀を通じ、地中海における最大の海戦は一五七一年一〇月、プレヴェーサの南、コリント湾の入口にあるレパントの沖合で行われた（『ドン・キホーテ』の著者セルバンテスが片腕を負傷したのはこのときである）。クリスチャン側はスペインとイタリア、すなわちヴェネツィア、ジェノヴァ、ナポリ、ローマ、サヴォイなど、フランスを除く南ヨーロッパの連合艦隊で、総数二八五隻と兵員二万九〇〇〇。

これに対するオスマン軍は総数二七四隻と兵員二万五〇〇〇、まさに互角の戦いだ。オスマン軍は、前年から一年がかりで東地中海最大の島キプロスを奪取したばかりで、戦意が高揚していた。しかし、この海戦でトルコ艦隊はほとんど全滅してしまった。

クリスチャン艦隊の勝因は何よりもまず、教皇の指名により、司令長官にカール五世の庶子、ドン・フアン・デ・アウストリアという天才軍人をいただいたことに求められる。この二四歳の青年は、仲間割れが好きな寄せ集め艦隊を打って一丸とすることに成功したのである。ドン・フアンは父の恨みをそそいだ。

トルコはただちに海軍再建に乗り出し、一年間に二三〇隻の艦船をつくりあげて、一五七四年には、七二年にドン・フアンが奪取したチュニスを回復している。それにもかかわらず、オスマン帝国の威信は傷つけられた。スレイマンの死とレパントの敗戦という相次いで起こった二つの象徴的事件により、常勝不敗の神話が崩れたのだ。あとはスレイマンの遺産を食いつぶしていくだけである。

以後は無能なスルタンの続出で、その第一号はスレイマンの息子でレパント海戦当時のセリム二世。彼は「酔いどれ王」の異名をもった。首長がこうだから海軍も覇気を失い、やがてバルバロッサの子孫たちはもとの海賊風情になり下がっていく。

しかし、不幸は勝者にも待ち受けていた。ドン・フアンはレパントから七年後の一五七八年、ネーデルラント戦線で熱病のため急死する。そして八八年八月、スペイン王フェリペ二世（カールの息子。在位一五五六〜九八）が派遣した無敵艦隊は、ドーバー海峡のカレー沖で劣勢のイギリス海軍のため大敗してしまった。

この敗戦は、新教徒による北部ネーデルラント（オランダ）の独立（一五八一）と、イギリスの隆盛を決定づける歴史的事件だった。その結果、スペインは大西洋の制海権まで失ってしまった。スペインの没落の始まりである。

スペインの出血

フェリペ二世がスペイン王として父から受け継いだのはスペインのほかミラノ、ナポリなどのイタリア諸領、ネーデルラント、そしてアメリカという広大な領土で、一五八〇年にはポルトガルの王位を継承してこれを属領とし、イベリア半島全域をひとつの王冠のもとに置いている。彼の時代、新大陸から金銀が流れ込み、この一大帝国は世界でもっとも富める国だった（フィリピンという地名は彼の名に由来している）。

ただし、その「黄金の世紀」があまりにも短く、たちまち「衰退の世紀」へ直行してしまった原因については、すでにいろいろと語られている。それらのうち、ここでは外交、内政についての共通項を取り上げてみたい。

外交面の特色は先代同様フランスと敵対し、オスマン・トルコおよび新教徒と戦った。西ヨーロッパのチャンピオンとして、カトリックの防衛と顕揚の責任をもつ立場である。そしてこの立場は、内政面では宗教の純化、つまり「魂のレコンキスタ」の促進となる。そこには曾祖父母の「カトリック両王」および神聖ローマ皇帝だった父カール五世の影響が濃厚に見られる。

この外交政策推進のため、新大陸の金銀は湯水のように使われ、その果てが、オランダ独立を支援するイギリスを制裁しようとして派遣した無敵艦隊の壊滅——となってしまった。また、「魂のレコンキスタ」作戦によるムスリムの弾圧と追放は人的資源の異常出血を招き、スペイン経済を貧血状態に陥れてしまうのである。

イスラーム世界の衰退

フェリペ二世は一五六七年、イスラーム教禁止の命を下した。このことは、土地に留まりたいために大量改宗に応じたモリスコ、ムデハルたちが「隠れムスリム」となって存在していたことを示している。彼らはカトリック・スペインの弾圧に対して立ち上がったが、反乱は三年後に粉砕されてしまう。そして半世紀後の一六〇九年、息子のフェリペ三世（在位一五九八〜一六二一）はムスリム全員の国外追放令を発布、五〇万人を追放した。グラナダ陥落以来このときまで一二〇年のあいだに追放または処刑されたムスリムの総数は三〇〇万人に達したという。カトリック・スペインの人口は当時九〇〇万人といわれたから、この「出血ぶり」は異常というほかない。

スペイン社会は、非寛容と狂信のため、早くも一六世紀のはじめから栄養失調を示している。商業、農業、手工業はユダヤ人とムスリムが握っていたのに、彼らが姿を消し出したからだ。ところがクリスチャンのスペイン人は貴族気取りで、これらの労働を蔑視し、新大陸に雄飛するか、軍人になるかしか考えず、また急激に増えた修道士とて労働力とは無関係だ。こうした労働蔑視が政府の政策と相まって国内産業の崩壊を招き、新大陸から流入した金銀はイギリスやオランダの商人に吸い上げられてしまうばかりだった。

やがて訪れる国庫破産は「魂のレコンキスタ」作戦の進行と不即不離の関係にある。

一七世紀はスペインと同じく、オスマン・トルコにとっても衰退の世紀だった。このイスラーム帝国の興隆の原因は行政、軍事機構の整備にあり、そのため人材が輩出したのだったが、その両機構に狂いが出たのだ。

在位中、一三回というスレイマンの親征が示すように、両機構の中心には常にスルタンがいた。この存在が帝国を機能させたのだが、以後のスルタンはほとんど親征をしなくなった。その先例をつくったのが、早くもスレイマンの息子セリム二世であり、彼はまた、以後連続することになる放蕩淫乱のスルタンたちの先駆者になる。この結果宮廷は陰謀の巣と化し、情実、買収の悪弊が行政と軍事の両機構のなかに浸透していった。

国軍の精鋭だったイェニチェリも例外でない。即位の際、セリム二世は慣習となっていたイェニチェリへの報賞を行わなかった。これがこの外人部隊の不満の始まりだ。情実で任命された上官に指揮され、俸給も不規則になった彼らは反抗の気配を示す。その頭をなでるため、一七世紀になると、スルタンは結婚と世襲、すなわちそれまでのタブーを破って彼らを甘やかす。こうしてイェニチェリの堕落が起こる。

やがて国力が弱まると、彼らは相対的に強くなり、クーデターを起こしてスルタンの首を意のままにすげ替えるようになる。国軍の精鋭が「国のなかの一国家」になったのだから始末が悪い。ついにスルタンは一日に七〇〇〇人という集団虐殺を行ってイェニチェリを解体するのだが、これは一九世紀のはじめ、トルコが「ヨーロッパの病人」となりはじめるころのことであった。とくに帝政ロシアの「北からの脅威」が年ごとに強まるとき、国軍の精鋭をみずからの手で葬らなければならなかったところに、オスマン・トルコの悲劇がある。

もうひとつ、オスマン・トルコの衰亡の原因を探れば、イランとの対立という外的要因を挙げなければなるまい。かつてはギリシア、ローマ、次いでビザンツがイランと対決した。その歴史的対決の一方の後継者が、宗派こそちがうが、同じイスラームのオスマン・トルコだったことは、イスラーム世界にとっての不幸だった。

サファヴィー朝イランはアッバース帝（一世、在位一五八七〜一六二九）のとき最盛期を迎えた。彼は一六二二年、依然として栄えているスパイス貿易の拠点ホルムズからポルトガルを決定的に排除することに成功したが、それは協力者であるイギリスの実力行使のおかげだった。

イギリスはすでに一六〇〇年に東インド会社を設立していた。アッバースはスパイス貿易ルートを押さえるポルトガルとオスマン帝国と戦うためヨーロッパに味方を求め、イギリスがこれに応じたのである。一七世紀中にポルトガルの勢力はペルシア湾から一掃され、以後中東貿易の覇権は英仏間で争われることになった。

このように、オスマン対サファヴィーという二帝国の相剋《そうこく》は必然的にイスラーム世界の力を弱め、やがてこの地域に西欧帝国主義の侵入を許すきっかけをつくってしまうのである。

大西洋時代へ

メフメト二世のコンスタンティノープル攻略によって、多数のギリシア人の学者・文人がイタリアに亡命した。これがルネサンスへの効果的な知的カンフル注射になったという説もある。スレイマン一世はドイツとネーデルラントの新教徒を助け、彼の後継者たちも支配下のハンガリーやトランシルバニアで自由な布教を許したから、一七世紀においてこれらの地域は新教徒の強力なとりでになった。このように、「近世」を成立させた二つの柱である「ルネサンス」と「宗教改革」に、オスマン・トルコは大きく関与している。

また、中東におけるアラブ、次いでオスマン・トルコの存在が東西貿易路の障害になって、「新大陸発見」という「大航海時代」を西ヨーロッパにもたらした。三つ目の柱もまた、イスラーム世界と深いかかわりをもっている。

一五、一六世紀において、西ヨーロッパとイスラーム世界の力関係はまず互角だったが、一七世紀以降変調を来たし、西ヨーロッパの絶対的優位の時代が始まる。その激変の遠因は、やはりコロンブスの「アメリカ発見」だ。新大陸のもたらす富と、そこにできた広大な市場が、それまでの地中海を中心とした西ヨーロッパ対イスラーム世界という古典的構造を根本から変えてしまった。地中海時代から大西洋時代への転換、すなわち、商業の中心が地中海から大西洋側へ移ったのである。

スペインは両者に窓を開いていたし、コロンブスの保護者だった関係から、地中海とは縁のうすいポルトガルとともに、この過渡期の最初の覇者となる。そのスペインを実力で破ったオランダとイギリスは地中海とはまったく縁のない国だった。まさに新しい時代のチャンピオンたるにふさわしい。そのイギリスは一八世紀に産業革命を起こす。

フランスはドイツの新教徒を支援しながら自国内の新教徒を徹底的に弾圧するという矛盾を犯し、ついにはヴァロワ朝の断絶となって、新時代への出発はだいぶ遅れた。しかし、ブルボン朝に入ってルイ一四世（在位一六四三〜一七一五）の時代に重商主義が開花できたのも、フランスが地中海のほか大西洋にも窓をもっていたからであった。

これに対し、ヴェネツィアをはじめとするイタリア諸国はまさに地中海国家であり、また神聖ローマ帝国もオスマン帝国も大西洋には縁がなかった。これらの諸国の近代への参加が大幅に遅れたのも、その原因はこの地域性に求められよう。

一八世紀末、世界制覇をめざすナポレオンが対英作戦上アレクサンドリアに攻め込んだとき、かつてスパイス貿易で栄えたこの都市は、人口わずか数千の漁村に転落していた。

中世の遺産のように生き続けてきたヴェネツィア共和国と神聖ローマ帝国が崩壊したのも、このナポレオンの一撃による。

第七話　スエズのドラマ

——世界最大の海洋運河をめぐって

プロローグ　東洋と西洋の結婚式

一八六九年一一月、「東洋と西洋の結婚式」といわれたスエズ運河が開通した。事実、従来の航路だったアフリカの南端・喜望峰回りに比べれば、インドのボンベイとロンドンとの距離を半分近くも短縮するものだったから、まさに「世紀の大事業」と呼ぶにふさわしく、現在でも世界最大の海洋運河なのである。

これより二年ほど前、ヨーロッパへ向かう徳川使節団がスエズからカイロへ鉄道を利用したとき、随員の陸軍附調役《しらべやく》・渋沢篤太夫（のちの実業家・栄一）は車中から建設現場を目撃し、この大事業の意義について次のように述べている。これはスエズ運河に関連する日本人最初の観察記録だ。

「竣成は三四年の目途にして、成功の後は東西洋直行の濤路《とうろ》を開き（中略）、其便利昔日に幾倍するを知らずといへり。総て西人の事を興す、独り一身一箇の為にせず、多くは全国全洲の鴻益《こうえき》（大きな利益）を謀る。其規模の遠大にして目途の宏壮なる、猶《なお》感ずべし」（『航西日記』）。

渋沢のいう「その便利」をもっとも享受したのはイギリスであった。イギリスはスエズ運河によって膨大な商業的利益を得たのみならず、アジアにおける帝国主義政策を拡大・深化することができた。ところが、この運河を建設したのはイギリス人ではなく、フランス人の元外交官、フェルディナン・ド・レセップス（一八〇五～九四）であり、彼こそ「一身一箇の為にせず、全国全洲の鴻益を謀る」目的で、この大事業に取り組んだ理想主義者なのであった。

しかし、イギリスはあらゆる手段を用いてレセップスの行く手を阻む。それは彼がフランス人だからであった。スエズのドラマはこうして始まる。

1　四〇〇〇年の歴史

スエズに注目したナポレオン

スエズ運河の原型はすでに四〇〇〇年前に存在した。それはナイル川とスエズ湾の間をワディ（渓谷）を利用して結ぶもので、その開拓者は中王国第一二王朝のファラオ、センウスレト一世（在位前一九七一～前一九二九）であった。それはデルタにあった当時の港町ブバスティスを起点に、トミラト渓谷経由で塩湖へ抜けるもので、そのころ塩湖はスエズ湾の一部だった。ところが、以後一五〇〇年のあいだにスエズ湾は後退し、現状のようになってしまったので、末期王朝のファラオ、ネカオ二世（在位前六一〇〜前五九五）が全長約二五キロメートルの運河を掘って塩湖と湾を結んだ。

アレクサンダー大王の東征後、アレクサンドリアに成立したプトレマイオス朝は、トミラト渓谷に平行するような運河を掘って首都と結び、ローマ帝国はこの事業を継承・発展させた。しかし、五世紀末の西ローマ帝国滅亡後、ヨーロッパは東方貿易ルートを失ったため、運河は荒廃するばかりだった。

この荒廃を救ったのは七世紀半ば、エジプトの新たなあるじとなったアラブの総督アムルで、彼は現在のカイロとスエズのあいだのローマ時代の運河を改修し、エジプトをアラビアに結びつけた。この運河は一九世紀まで生き延びたものの、大航海時代以後は、その存在価値をほとんど失っていた。外洋船は一度で大量の貨物を輸送できるからである。

ナイルを通じて地中海と紅海を結ぶという古代人以来の事業に近代の光を当てたのはナポレオンである。彼は五万の大軍を率いて一七九八年夏、三週間でエジプトを征服した。これは戦争技術の差において、「現代と中世の対決だった」と後世の学者はいう。彼はエジプト滞在中、スエズ地峡に運河を掘削することの可能性を探るため、みずから技術者グループを引きつれてスエズ

フェルディナン・ド・レセップス

に出かけるほどの熱意を示した。フランス革命政府のエジプト出兵の目的は、ここを根拠地として東方への市場を拡大し、あわよくばインドをそっくり頂いてイギリスの首を締めようというもので、これは同時に、ナポレオンの「東方への夢」であった。

ところが、専門家が提出した調査報告書によれば、スエズ地峡は平掘りが可能で、技術的には問題ないものの、地中海の水面は紅海より一〇メートル低いから、もし運河ができたら、エジプトの穀倉であるデルタが水没してしまうというものであった。これは当時の低い技術水準による誤測で、三〇年後、パリからやって来た調査団が再測量してその誤りを正したが、ナポレオンは一〇年前に死んでいた。

そこでレセップスが、彼の「東方への夢」を実現する役割を担うことになる。

レセップス登場

一八五四年の九月、中部フランスの田舎に隠退していたレセップスのもとに、驚くべきニュースがパリの新聞によってもたらされた。エジプトの副王アッバースが奴隷に殺され、レセップスが二五年前にカイロで副領事を務めていたころ親しくしていたサイド王子が、そのあとを継いだというのである。千載一遇の好機到来と彼が思ったことは間違いない。

カイロ在勤中、彼はスエズ地峡の測量に関する資料に精通し、いつの日か、東洋と西洋を結ぶ大事業を手がけたいという野心を胸にいだいていた。そのころエジプトでは一八〇五年以来、オスマン・トルコから半独立のムハンマド・アリ朝が成立しており、レセップスは副王ムハンマド・アリから、末っ子のサイド少年の体育教師役を委ねられるほどの信頼を得た。教えたのは馬術とフェンシングである。

サイド副王

一一歳の王子は見るからに肥満児で、父はきびしい食事療法を課していた。スポーツはその一環なのだが、レセップスは二人でびっしょり汗を流したあと、王子の大好物だが城内では禁じられていたパスタ（マカロニやスパゲッティ）を自宅でたっぷりと、父には内緒で食べさせたものだ。あの少年がエジプトのあるじになったのである……。

二カ月後、アレクサンドリアに上陸したレセップスはサイドから国賓待遇で迎えられた。馬でカイロへ戻る二人の行く手の砂漠に、珍しく西から東へ大きな虹がかかった。彼にはそれが神の啓示のように思えた。その夜彼は副王から、運河掘削の許可を受ける。エジプトの運命はこのとき決した。何年か前、隠退して余裕を得たレセップスは運河計画に没頭し、アッバースに許可を申請したことがあったが、にべもなく突っ返された。排外思想にこり固まっていた彼は、外国人がそのようなものをつくれば、やがて奪い合いがはじまって、国自体がとられてしまうと恐れたのである。その恐れは半ば正しかった。レセップスの前にイギリスが立ちはだかったからである。

人海戦術で運河を掘る

山をも動かす男

実はサイドの許可はいわば仮免許で、本免許はオスマン・トルコ政府から取らなくてはならぬ。そこでイギリスはトルコ政府に働きかけた。ナポレオンの前例があるから、イギリスはエジプトをフランスに取られるのを恐れ、斜陽帝国トルコも同じ運命に陥るのを恐れ、その結果地中海が「フランスの海」になるのをともに恐れたのだ。さらにイギリスはアレクサンドリア―カイロ―スエズ間の鉄道を建設中だった（一八五八年完成）。こうしてイギリス―インド間の道を確保できる以上、イギリスにとって、フランス人がつくる運河など邪魔もの以上の何ものでもなかった。

しかし、レセップスは、彼を知る人によれば「山をも動かす意志の男」で、彼が創立した万国スエズ運河会社は一八五九年から掘削事業を始める。いわば「見切り発車」で、力強い後援者だった副王サイドが四年後に死んだのは痛手だったが、後任のイスマイルがパリ大学出身というフランスびいきだったため工事は続けられ、新副王は六六年、正式認可を取ることに成功している。徳川使節団が観察したのはその一年後だったから、現場は活気を呈していたはずだ。

しかも、ときのフランス皇帝ナポレオン三世の皇后ユジェニーは、レセップスのいとこの娘だった。この血縁が彼の事業推進のための最後の決め手になったことは十分に想像できる。

2　イギリスの運河乗っ取り

遅かった反省

こうして一八六九年一一月一七日午前八時、「東洋と西洋の結婚式」は、前副王の名にちなむ

スエズ運河の開通式典（ポートサイド）

ポートサイドで、イスマイルの豪華趣味のもと、盛大に開かれた。ユジェニーとレセップスを乗せたヨットを先頭に、一〇分から一五分間隔で続くのはオーストリア皇帝夫妻、プロイセン皇太子、オランダ王弟らの乗船七〇隻。招かれた報道陣のなかには『三銃士』のアレクサンドル・デュマや『人形の家』のヘンリック・イプセンらの姿が見えた。四大歌劇のひとつである『アイーダ』は、この記念に建てられたカイロのオペラ座のこけら落としのために、ヴェルディが作曲したものである。

その夜の宿泊地、副王の名にちなむ中間地点のイスマイリアでは、一般見物人も含め、八〇〇〇人を招待した『千一夜物語』そこのけの大宴会が催された。それはイスマイルにとって生涯最良の日であった。こうして地中海は、久しく外洋航路に奪われていた繁栄を取り戻していく。

イギリスは反省したが遅かった。運河が開通してみると、レセップスの予見どおり、通過船の八割が英国籍なのだが、彼に反対した手前、イギリスは運河会社の一株株主でもないのである。

ちなみに、日本人として初めてスエズ運河を通過した記録を残したのは、明治政府が米欧に派遣した岩倉使節団で、一行はこのころ、つまり開通からわずか四年後の一八七三年七月末、運河上に一泊して北から南へ抜けている。その報告書である『米欧回覧実記』（岩波文庫、久米邦武著、全五巻）が紹介する建設秘話（第五巻）は詳細を極め、いまでも新しさを失っていない。

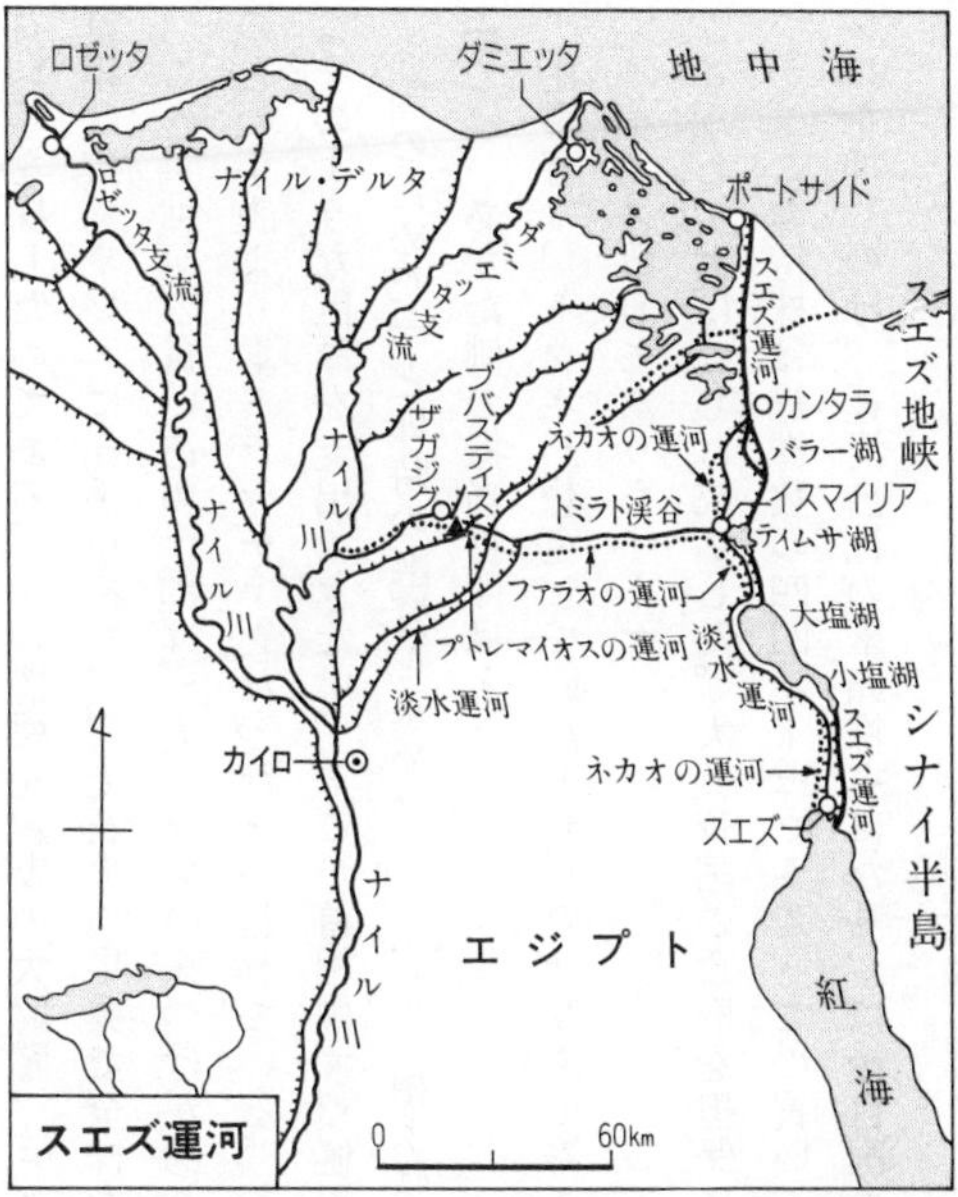

「世紀の買い占め」

イギリスにとってのまたとない機会は開通六年後の一八七五年一一月二五日に訪れた、原因はイスマイルの近代化政策の失敗だ。「エジプトはヨーロッパに属する」との信念のもと、彼はヨーロッパに追いつこうとする政策に没頭したものの、その放漫財政が災いして借金が雪だるま式にふくれ上がり、四〇〇〇万ポンドの支払いのため、スエズ運河会社の全持株を手放すことにし、ひそかに買い手を探したのである。この情報を親友の大財閥、ロスチャイルド男爵から得たディズレーリ首相は、フランスに先手を打ち、電光石火の早業で全株を買い取る。

この「世紀の買い占め」には一大ロマンの味つけがあり、それは作家でもあったディズレーリのどの小説よりもドラマチックだったといわれている。そのとき議会は休会中だったから、政府はそのような巨額を支出できない。そこで首相はすぐ秘書官をロスチャイルドのもとに走らせ、「お国のためだ」と即時の融資を求めた。しかし、相手はタヌキである。

「では、あなた側の抵当物件は?」

秘書官は、キツネが想定していたとおりのせりふで答えた。

「イギリス政府であります!」

こうして大ばくちは成功した。大英帝国の政府を担保に取るとは、まさに、男子の本懐ではないか。この持株は総株数の四四パーセントで、この買い占めにより、イギリスは一夜にしてフランスを押しのけ、運河会社の筆頭株主になり、以後自国の生命線を管理することができたのである。

その夜ディズレーリはヴィクトリア女王にあてて簡潔無比の報告書を届けた。

It is just settled; you have it, Madam.

(一件落着。あれは陛下のものです。)

「国盗り」の果てに

エジプトが主体性を回復し、つまり完全独立するには、それから八〇年近くもかかる。イギリスは一八八〇年代に起こったエジプトの反英的民族主義運動を武力介入によって踏みつぶし、二〇世紀に入るとフランスを味方に引き入れ、第一次世界大戦が起こるやエジプトを保護国とした。運河を守るための「国盗り物語」の完成である。

かつて『イエス伝』を書いたフランスの宗教学者エルネスト・ルナンは、友人のレセップスに次のように書き送っている。

「ひとたび紛争が起きれば、世界はこの海の十字路を押さえるために速さを競おう。つまり君は、将来における大会戦の場を提供したようなものだ」。

イギリスは、不気味なこの予言の実現を阻止するためにエジプトを盗り、レセップスの理想主義を踏みにじった。しかし、第二次世界大戦が終わってみると、さすがの世界帝国も国力が衰え、アジアから兵力を撤収したものの、スエズ運河地帯にだけは強力な部隊を一九五六年六月まで残していた。生命線は何としてでも維持しようとするイギリスの執念がそこに見られた。

この帝国主義にとどめの一撃を加えたのが、新生エジプトのあるじ、ガマル・アブデル・ナセルであった。彼は大統領になった直後の一九五六年七月二六日、イギリス、フランスが握るスエズ運河会社の国有化宣言を行ったのだ。当時の世界はこれを「西洋に対する非西洋の無謀な挑戦」と見たが、この宣言は、ルナンの予言とは別の次元で、世界危機へとふくれ上がる。この急転を理解するには、アラブ・イスラエル紛争と冷戦が織りなす複雑な国際関係を頭に入れておく必要があろう。

3　運河はエジプトのもの

冷戦下のナセル政権

ナセルが腐敗したムハンマド・アリ朝を倒した革命（一九五二）は、それより四年前のパレスティナ戦争（第一次中東戦争）における敗戦という屈辱から生まれた。ばらばらに戦ったアラブは独立の意気上がるイスラエルに各個撃破されてしまったのだ。エジプト軍再建に乗り出したナセルは、アメリカ、イギリス、フランスが武器の供与を拒んだためソ連に頼る。

一方、アスワンに巨大なダム（ハイダム）を建設して人口問題を一挙に解決しようとした彼は、その融資をアメリカ、イギリスおよび世界銀行に申し入れ、好意的な反応を得た。この世界最大級の多目的ダムにつき、ナセルは国民に向かい、次のように約束している。

「かつてクフ王のピラミッドは世界の七不思議のひとつだったが、帝王個人に奉仕するにすぎなかった。これに対し、ハイダムの建設にはそれより一七倍の石を必要とするが、この現代のピラミッドは、エジプト人民に奉仕するものなのである」。

ところが、ソ連製の武器がエジプトに着き始めるのを見たアメリカは、態度を一変して融資の約束を撤回、イギリスと世界銀行も同調する。アメリカは容共国を援助できないというのがその理由で、ナセルが掲げる非同盟外交は、アメリカ国務省には無節操と映ったのだ。

しかし、ピラミッドの一七倍の石を使って人民のためのダムをつくる——と大見栄を切った手前、金策がつかなかったからといって引っ込むことは、新生エジプトの指導者としてできることではない。ナセルのスエズ国有化宣言は、これに対するしっぺ返しで、その意図は、運河会社の収入により、自力でハイダムを建設することにあった。

以下、融資撤回の通達から一週間後、ナセルの歴史的宣言がどのような状況下で行われたかを再現してみよう。

スエズ戦争1周年　ポートサイドで分列行進を観閲するナセル。隣は彼の右腕だったアメル元帥

ナセルは語る

一九五六年七月二六日は、ファルーク国王がアレクサンドリアの離宮から追放されて四年目の記念日だ。その日の夕方、同市の綿花市場のバルコニーから、ナセルはムハンマド・アリ広場にあふれた群衆に向かって演説を始めた。従来こういう場合の演説は文語、すなわち聖典にしるされたアラビア語の文法に基づくのが習わしだったが、彼は伝統に反して俗語、すなわちエジプトの方言で始めた。

群衆は驚き、次いで喜び、彼に向かって拍手を始める。彼はやがてハイダム融資をめぐる交渉経過を激しい調子で報告する。そして一転、文脈とは無関係なレセップスの名がとび出した。たとえばこんなふうに。

「われわれが餓死しようとしているときに、レセップス、〈宝の川〉はすぐそばを流れている。そして帝国主義の一会社が、レセップス、われわれの利益を横取りしている……」

実はこの「レセップス」という言葉が、エジプト軍に行動開始を命ずる暗号だった。彼は続けた。

「私は発表する。私がいま諸君に語っているこの時間に、万国スエズ運河会社はこの世から消えたのである！　われわれは人民のためにこの会社を国有化した。運河はいまやわれわれのものだ。スエズ運河はハイダムの建設を十分にまかなってくれるだろう」。

彼はさらに語る。「運河を掘ったのはエジプト人であり、その途中で一二万人のエジプト人労働者が死んでいる。運河は当然エジプトの利益に奉仕すべきだったのに、反対に、エジプトが運河に属するようになってしまった。運河会社は帝国主義者の陰謀に頼って、国家のなかの一国家をなしていた。今日、われわれはその権利を取り戻した。私はエジプト人民の名において、この権利を守りぬくことを宣言する！」

それ以上の言葉は群衆の熱狂と興奮のなかにかき消された。

それはこの数世紀来、世界を支配しつづけてきた西洋の体制に対する虐げられた者からの挑戦であった。

危機から戦争へ

こうして起こったスエズ危機に国連が介入して解決策を模索中の一〇月二九日、突如イスラエル軍がシナイ半島に侵入し、イギリス・フランス軍は、「エジプト—イスラエル間の戦闘からスエズ運河を守るため」と称して、ポートサイドに上陸した。

これが第二次中東戦争で、後でわかったことだが、三国の共謀による侵略戦争というのが真相であり、イスラエルの意図は行動開始の四日前、エジプト、シリア、ヨルダン三国が結んだ軍事同盟という包囲の輪を断ち切ることにあった。

この地域紛争は、ソ連が侵略三国に対して「核の脅し」を用いたため世界危機へとエスカレートしたが、アメリカの必死の工作が実り、国連軍が三国軍と交代するという条項を含む停戦決議が国連安保理で採決されて幕を閉じる。

この戦争の性格については、ユダヤ系イギリス人の歴史家アイザック・ドイッチャーがしるした厳格な次の一文を見れば十分だろう。

「イスラエルは恥知らずにも、欧州の破産しかけている帝国主義（英仏）の最後の共同の利益（スエズ運河会社）と、エジプトを手中に置こうとする最後のあがきの中で、古い帝国主義の手先として行動したのである。（中略）イスラエルは、道義的にも政治的にも、全く悪い方の側についたのである」（『非ユダヤ的ユダヤ人』）。

結局、侵略者は何も得るところなく撤退した。ナセルは三国に攻められ、戦場では完敗したが戦争に勝ち、一躍アラブ民族主義の英雄、第三世界のリーダーにのし上がった。ナセル時代の開幕である。

戦争中のトピックをひとつだけ記そう。

レセップスはフランス人であるためにエジプト人の憎しみを買い、ポートサイドの埠頭《ふとう》に立っていた彼の巨像はダイナマイトで爆破されてしまった。掘削工事中、無給で働かされたエジプト人は劣悪な条件のもと、ナセルが語ったように、一二万人もの犠牲者を出したという。子孫に伝わったその恨みが彼に向けられ、一挙に爆発したのだろう。
ナセルは国有化宣言の際の公約に基づき、二八〇〇万エジプト・ポンドをかけ、予定より一年早く一九六三年に、全株主に対する補償を完了した。こうしてスエズ運河は名実ともにエジプトのものになる。

一方ハイダムはソ連の援助で一九六〇年一月に工事開始、七〇年七月に完成する。しかしナセルは過労がたたって、七一年一月に予定された公式の完成記念式典の三カ月前(七〇年九月二八日)に急死していた。そこで、式典を主宰したのは、次期大統領アンワル・エル・サダトであった。

スエズ運河の入口

4　運河の未来図

ドラマは続く

第二次中東戦争で閉鎖された運河は、国際協力のおかげで五カ月後の一九五七年四月に再開したが、一〇年後の一九六七年六月に再び閉鎖されてしまった。第三次中東戦争が原因で、この閉鎖は八年間も続く。世はスーパータンカーの時代に入っていたので、この種のタンカーが通れない運河の再開への国際的な共通意欲が見られなかったのである。

この戦争はアラブ側の惨敗に終わり、圧勝したイスラエルはシナイ半島全部を占領した。ナセルは敗戦の責任を負って辞任声明を出したが、カイロ市民の爆発的な「呼び返しデモ」のため声明を取り消す。「これは大衆が歴史の流れを変えたまれな例だ」(ドイッチャー)。

それはさておき、現場のスエズ運河は危険な臨時国境になってしまい、このような状況下で一九七三年一〇月六日に第四次中東戦争が起こる。奇襲をかけたのはエジプトのサダトで、エジプト軍は三カ所で運河の渡河作戦に成功、イスラエル側陣地に殺到したのである。あとは米ソの応援合戦。つまるところ、「サダトの戦」といわれた一〇月戦争は、通常兵器で戦われた史上最大規模の戦争だった。

そして二年半後の一九七五年六月五日、ポートサイド港内の海上にしつらえた古代エジプト風の船の上で、運河再開の記念式典が催された。主宰したのはサダトであり、それは四〇〇〇年の歳月を超え、彼と副王イスマイル、およびセンウスレト一世を結びつける光景であった。

サダトは一九七八年度のノーベル平和賞を受賞し、翌七九年三月、イスラエルと平和条約を結ぶ。これで、運河を閉ざす人為的原因は消えた。

日本の貢献

一九八〇年一二月、スエズ再開後に実施された第一期拡張工事の完成記念式典で、サダトは旗艦上で行った記者会見の席上、とくに日本人記者団に向かって、「この拡幅・増深計画は技術、工事、資金を含め、日本の貢献によって実現できた」と日本の経済協力をたたえた。

日本の経済協力が、中東の国家元首から、これほど公式に評価されたことは前例がない。そこで、「評価」の中身を具体的に調べてみよう。

工事は七五年一一月にはじまり、完成の結果、水深は一四・五メートルから一九・五メートルに、幅は九九メートルから一六〇メートルとなり、このため、原油満載時で五万トンのタンカーまでしか通れなかったのが一五万トン級まで航行可能になった。通過する船の数は一日六〇隻から七三隻になる。財政面からみると、総工費は一三億ドル、うち外資による援助は半分以上の七・六億ドルにのぼった。

外資援助で第一位の日本はこのうち二・八億ドル、三六・八パーセントを占める。この政府援助をもとに、エジプトとのつきあいの古い五洋建設を筆頭に計五社が工事に参加、工事全体の約七割を担当した。サダト大統領の賛辞は決しておせじではない。ちなみに、この工事での日本に次ぐ資金援助国は湾岸の産油諸国で計一・四億ドル、以下は世界銀行、アメリカその他の順であった。

もう一つ、運河関連の事業を紹介しておく必要があろう。第一期工事完成直前の一〇月二五日、運河の底をくぐって、全長二・七キロメートルの海底トンネルが開通したのである。アフリカ（エジプト本土）とアジア（シナイ半島）という両大陸の直結は、地中海と紅海を結んだスエズ運河の開通にも比すべき快挙ではあるまいか。

現場はスエズ市の北一七キロメートルの地点で、トンネルの名はアフマド・ハムディという。第四次中東戦争が起こったとき、この地点に浮き橋をかけてエジプト軍の渡河作戦を指揮し、一番乗りの後で戦死した工兵少将の名にちなんでいる。七五〇〇万ドルをかけ、一五カ月で貫通させたもので、ギーザの第一ピラミッドに相当する二五〇〇万立方メートルの土が掘り出された。完成式でテープを切ったサダトは、こう宣言した。「アフマド・ハムディ・トンネルは、シナイ半島の孤立に終止符を打った。イスラエルと結んだ平和条約（七九年三月）のたまものである」。トンネル内の道幅は二車線で七・五メートル。中央部が最も落ち込んでいて、水面下五一メートル。その下に取りつけたパイプラインで、水と電気を直接シナイ側に送る。こうしてエジプトは、これまで砂漠地帯として放置してきたシナイの総合開発に乗りだすことができる。砂漠の緑地化、観光や地下資源の開発その他である。

このトンネルはまた、有事の際に役立つ。戦車、ミサイル運搬車、装甲車などを通せる大きさを考えれば、これは産軍両用の新しい戦略路線ということもできよう。もっとも、「有事の際」

とは、イスラエルと結んだ平和条約が破れることを意味するのであるが……。

その平和条約の締結があだとなり、サダトは翌八一年の一〇月六日、カイロ郊外のナセル市で行われた「戦勝記念日」のパレードを観閲中、イスラーム原理主義の兵士たちの銃弾に倒れた。

現場のすぐ前の広場には、ピラミッド型をした吹き抜けの戦没将兵記念堂が建っていて、今ではそこにサダトの墓がある。近寄ってみると、墓碑銘は次のように読めた。

アンワル・エル・サダト　戦争と平和に殉ず

第二運河をつくろう

かくてエジプトはホスニ・ムバラク大統領の時代にはいる。スエズ運河に話を戻すと、エジプト政府は第一期工事の進展中、すでに第二期工事委員会を発足させ、㈠運河の複線化、㈡既存水路の拡幅と増深、の二計画を立て、㈠については依頼を受けた日本政府が八〇年九月に報告書を提出している。現在の運河は約三分の二に当たる一一〇キロメートルが一方通行で、通航船舶量に限度があるから、世紀末までにもう一本掘って複線化すれば、問題はすべて解決しようというのがその要旨で、工期は一〇年、総工費は一二億ドルという大計画だ。

エジプト側は㈠を念頭に置きながら、取りあえず㈡を優先して、八二年中にも着工したい意気込みだった。この計画によれば拡幅は一六〇メートルから二三〇メートルへ、水深は一九・五メートルから二四・五メートルへ、通過可能のタンカーは一五万トンから二六万トンとなり、紀元二〇〇〇年まではさばけることになるだろう。工期は四年間で、総工費は七・五億ドルだ。

しかし、以来二〇年、両計画とも凍結されたままである。中東のきびしい政治・経済環境がその最大の原因だ。まず九年間(一九八〇〜八八)続いたイラン・イラク戦争があり、湾岸諸国は同胞イラクをてこ入れするため、四五〇億ドルもの巨額をつぎ込んだ。この戦争が終わったと思う間もなく、湾岸危機と戦争(九〇年八月〜九一年二月)が起こったのだ。

次には石油価格の下落である。一九八〇年は「一バレル四〇ドル時代の幕開け」といわれたのに、八一年以降価格は下落するばかりで、九〇年のはじめには一六ドルにまで落ち込んだ。いわゆるオイル・グラット(供給過剰)のためで、この結果産油国の収入が激減し、同時にタンカー業界は極度の不況に見舞われてしまった。この状況が長続きするなら、運河の拡張など――ましてや複線化も――問題外である。

こうしたマイナスの要素はエジプト経済を直撃している。湾岸諸国は軒なみ赤字国に転落したから、エジプト人の労働者は職を失って帰国せざるを得ず、これが失業率に拍車をかける。原油生産による収入の激減も痛手だ。年間一〇億ドル以上を稼ぎ、「運河はドル箱」といわれても、その収入は出稼ぎ労働者からの送金、石油収入に次ぐ第三位なのである。これでは第二期計画を進めようにも、エジプトは手持ち資金に事を欠く。二〇年間の凍結は致しかたないことであった。しかし今、戦争は終わり、国際関係のなかでの冷戦の時代は過去のものになった。緊張は緩和していく一方だろう。そうした状況を念頭に置いてか、エジプト政府は一九九一年七月末、懸案だった第二期の運河拡張計画（総工費一〇億ドル）を実現するため、世界銀行と日本に資金援助を求めていることを明らかにした。スエズ新時代への胎動だ。

ところが、第一期工事の内容が示すように、日本の協力がなければどんな大工事も実現できないことが明らかになっている。そこで、近い将来に、こういわれる時代が来ないものであろうか。

「東洋と西洋を結ぶ最初のスエズ運河はレセップスが掘った。第二運河は日本が掘った」。

「百年の計」を本気を考えれば、日本はそれができるはずである。

第二運河の建設。それが、二一世紀の日本に託された歴史的使命になることを私は願っている。

ただし、エジプト政府は目下のところ、短期的な現実主義路線に切り替えているので、その意向を受けた日本企業は四年がかりで二〇〇一年四月末、北部のカンタラ付近で「運河橋」を完成させた。既存の橋は戦争ですべて破壊されていたから、これは現在、運河にかかる唯一の橋ということになり、総工費の六割が日本政府による無償資金援助でまかなわれたのである。

この「運河橋」の長さは、横浜ベイブリッジよりやや短い七三〇メートルではあるが、中東・アフリカ地域では最長で、また、水面から橋げたまでの高さは七〇メートルもあって世界一だ。

新世紀はまだ始まったばかり。私はこの〈快挙〉を、第二運河建設の前奏曲をなすものと考えたい。

牟田口義郎（むたぐち・よしろう）

1923年，神奈川県に生まれる．1948年，東京大学仏文科卒業．1949～82年，朝日新聞社記者として，中東特派員，パリ特派員，論説委員を担当．退社後，成蹊大学教授，東洋英和女学院大学教授を歴任した．専攻は中東近現代史，地中海文化史．中東報道者の会会長，中東調査会㈶常任理事．2011年1月逝去．
著書『アラビアのロレンスを求めて』『石油に浮かぶ国』（中公新書）
『地中海のほとり』『旅のアラベスク』『中東への視角』（朝日新聞社）
『中東の風のなかへ』『アラビアのロレンスと日本人』（NTT出版）
『カイロ』（文藝春秋）
訳書『砂漠の豹イブン・サウド』（筑摩書房）
『アラブが見た十字軍』『サマルカンド年代記』（リブロポート）
『アラブが見たアラビアのロレンス』（共訳，中公文庫）
ほか

物語《ものがたり》 中東《ちゅうとう》の歴史《れきし》
中公新書 *1594*

2001年6月25日初版
2019年2月25日12版

著　者　牟田口義郎
発行者　松田陽三

本文印刷　三晃印刷
カバー印刷　大熊整美堂
製　本　小泉製本

発行所　中央公論新社
〒100-8152
東京都千代田区大手町1-7-1
電話　販売 03-5299-1730
　　　編集 03-5299-1830
URL http://www.chuko.co.jp/

Published by CHUOKORON-SHINSHA, INC.
Printed in Japan ISBN978-4-12-101594-5 C1222

中公新書刊行のことば

いまからちょうど五世紀まえ、グーテンベルクが近代印刷術を発明したとき、書物の大量生産は潜在的可能性を獲得し、いまからちょうど一世紀まえ、世界のおもな文明国で義務教育制度が採用されたとき、書物の大量需要の潜在性が形成された。この二つの潜在性がはげしく現実化したのが現代である。

いまや、書物によって視野を拡大し、変りゆく世界に豊かに対応しようとする強い要求を私たちは抑えることができない。この要求にこたえる義務を、今日の書物は背負っている。だが、その義務は、たんに専門的知識の通俗化をはかることによって果たされるものでもなく、通俗的好奇心にうったえて、いたずらに発行部数の巨大さを誇ることによって果たされるものでもない。現代を真摯に生きようとする読者に、真に知るに価いする知識だけを選びだして提供すること、これが中公新書の最大の目標である。

私たちは、知識として錯覚しているものによってしばしば動かされ、裏切られる。私たちは、作為によってあたえられた知識のうえに生きることがあまりに多く、ゆるぎない事実を通して思索することがあまりにすくない。中公新書が、その一貫した特色として自らに課すものは、この事実のみの持つ無条件の説得力を発揮させることである。現代にあらたな意味を投げかけるべく待機している過去の歴史的事実もまた、中公新書によって数多く発掘されるであろう。

中公新書は、現代を自らの眼で見つめようとする、逞しい知的な読者の活力となることを欲している。

一九六二年一一月

中公新書

世界史

e1

1353 物語 中国の歴史 寺田隆信
2392 中国の論理 岡本隆司
2303 殷―中国史最古の王朝 落合淳思
2396 周―理想化された古代王朝 佐藤信弥
2001 孟嘗君と戦国時代 宮城谷昌光
12 史記 貝塚茂樹
2099 三国志 渡邉義浩
7 宦《かん》官《がん》(改版) 三田村泰助
15 科《か》挙《きょ》 宮崎市定
1812 西《せい》太《たい》后《こう》 加藤徹
166 中国列女伝 村松暎
2030 上海 榎本泰子
1144 台湾 伊藤潔
925 物語 韓国史 金両基
1367 物語 フィリピンの歴史 鈴木静夫

1372 物語 ヴェトナムの歴史 小倉貞男
2208 物語 シンガポールの歴史 岩崎育夫
1913 物語 タイの歴史 柿崎一郎
2249 物語 ビルマの歴史 根本敬
1551 海の帝国 白石隆
2518 オスマン帝国 小笠原弘幸
1866 シーア派 桜井啓子
1858 中東イスラーム民族史 宮田律
2323 文明の誕生 小林登志子
1818 シュメル―人類最古の文明 小林登志子
1977 シュメル神話の世界 岡田明子・小林登志子
1594 物語 中東の歴史 牟田口義郎
2496 物語 アラビアの歴史 蔀勇造
1931 物語 イスラエルの歴史 高橋正男
2067 物語 エルサレムの歴史 笈川博一
2205 聖書考古学 長谷川修一
2523 古代オリエントの神々 小林登志子